Basic French Reader

BASIC FRENCH READER

Julian Harris
&
André Lévêque

The University of Wisconsin

New York:

HOLT, RINEHART AND WINSTON

Library of Congress Catalog Card Number 56-5652

April, 1962

33480-0616

PRINTED IN THE UNITED STATES OF AMERICA

C. G. AU TOURISME

Table of Contents

Introduction

Like the other Harris-Lévêque books,* this beginning reader is based upon the assumption that language is something you do and that the most natural and effective way to learn a language is by using it. Just as our earlier books were designed to give students extensive practice in using basic patterns of the language orally and aurally, the present one is intended to give them practice in reading. As a result of recent developments in language learning techniques, the reading-knowledge objective is more readily attainable than ever; but it is still impossible to learn to read without a considerable amount of actual reading experience.

The present book is made up of a series of descriptions of the reactions of young Americans to life in France. For the most part, they are in the form of conversations. We chose this form in the first place because students and teachers all over the country have shown unusual enthusiasm for our conversational text-books. Somewhat to our surprise, when we tried out sample lessons in the class-room, we found that students learn more quickly how to get at the meaning of a passage when the text is in the form of a dialogue than when the same material is presented in a straight descriptive passage. We have chosen subject matter which, we hope, will contribute to the students' understanding of the French way of life and to their appreciation of some of the problems of twentieth century France. In addition to these sketches, we have included a half-dozen

---

* *Conversational French for Beginners,* Henry Holt and Company, 1946; *Basic Conversational French,* Henry Holt and Company, 1953.

Fables of the matchless and ageless La Fontaine. We have provided a translation of the fables — somewhat pedestrian, alas — so that no beginning student of French will run the risk of doing even greater violence to these little master-pieces.

When we first began working on the book, we intended to explain in a footnote every word which students would not be sure to recognize; but in the course of our experi-mentation, we found that students actually like to figure out the meaning of words from the context. Therefore, as this is precisely what they must learn to do if they are ever to learn to read with real skill, we decided to make the context give clues to the meaning whenever possible and not to tell the students in footnotes what they could easily figure out for themselves. On the other hand, we tried to use each word and each turn of phrase repeatedly so that the students would surely learn them. Thus, we hope we have succeeded in writing a book which will encourage the students to read in French without continually attaching English equiva-lents to every French word, and at the same time one which will help them build up a considerable vocabulary of words and idioms whose meaning they will always know.

We recommend that students have systematic practice in reading throughout the first semester of their first French course, beginning not later than the third or fourth week. We have tried to make the first sketches so simple and so easy that the students will be able, from the very beginning, to grasp the meaning of the French text in French. How-ever, when students first begin to read in a foreign language, they tend to read word by word and, if left to their own devices, they quickly get the habit of automatically looking up every word they do not recognize. Only with the help of a skilled instructor and appropriate materials will they get the more fruitful habit of trying to understand the meaning of a text in a foreign language. Therefore, we believe it is of the greatest importance that they be told *and shown* that reading a lesson does not mean looking up all the unfamiliar words and writing them down or memorizing them before they begin to think what it is all about. Learning to define words sharply is of course a valuable and fascinating exercise, but it is much more suitable for advanced students than for those who are just beginning to learn to read. As a matter of fact, in many cases, the precise meaning of a word can be understood only by seeing it in a context; and relatively few words are so static that they have only one meaning.

As it is customary for authors of text-books to explain how their books should be used, we will at least mention the procedures which we find most effective:

(1) *Reading in chorus after the instructor.* In this exercise, the instructor reads aloud a sentence or a thought-group while the students look at the words. Then he explains what it means or has the students explain. Next he rereads it phrase by phrase having the students repeat after him, trying consciously to understand the meaning of what they are reading. Take, for example, the first sentence in the book. With a minimum of explanation of individual words, the students can be made to understand in French: "Le train transatlantique entre dans la gare Saint-Lazare." It is worth while to take time to explain that the sentence does not mean: "The transatlantic train enters into the station of Saint Lazarus." One may even point out that such a phrase as "The Twentieth Century pulls into Grand Central" might be perfectly meaningless to a Frenchman even though he knows the meaning of every word in it — or even to an Englishman, for that matter, and that we, on the other hand, understand precisely what it means without being conscious of the words which are actually used. Coming quickly to

the second sentence ("Il s'arrête"), many students will see at once that it means "It stops." Those who do not see it for themselves quickly learn that if they had tried to understand, they too would have guessed it. This exercise — which has to be done with a certain amount of dash and good humor — is especially valuable when students first begin to read in the foreign language.

(2) Repetition, in chorus, of phrases which, for one reason or another, students find difficult is an exercise which can be used effectively from time to time throughout the course.

(3) *Questionnaires.* We have provided sets of easy questions for each lesson. At first, the students find this type of exercise feasible only if they are allowed to see the question and to find the answer in the book. As soon as the students can do this type of exercise without looking at the book, they should gradually be taught not to depend upon the printed page. But it should be remembered that while it is useful to ask questions which students can answer, it is worse than pointless to ask questions to which they can not possibly bring up a correct answer. Embarrassing students sometimes make them work harder, but it does not make for the good student-instructor relationship which is so necessary for successful teaching. As some students find it harder to understand questions than to answer them, it is useful sometimes to put the same question to two or even three different students. When a timid student is "stumped" by a question, it is good psychology to give him another chance to answer it after another student has answered it correctly. This, incidentally, is a fine way to build up self-confidence.

(4) Questions and answers between students, and prepared dramatizations can be used to advantage in classes in which there is much emphasis on oral practice.

(5) Having students take turns reading a sentence aloud with interruptions for translation of a word or phrase adds variety and interest. This exercise has the value of the "please translate" routine without its grave shortcomings.

(6) Straight translation into English should be used with the greatest caution. Occasional practice in putting a passage into good idiomatic English can be highly stimulating and instructive. But students should be taught that they can not hope to translate a sentence into English correctly if they do not understand precisely what it means in French; and they should not be continually given an exercise which would test the skill and the ingenuity of professional writers and translators. Ideally a passage for straight translation should be brief and it should be taken from a lesson which has already been covered in class.

(7) *Outside reading.* After a few weeks, students should be encouraged to read a few paragraphs on their own. While this exercise is more useful in the second semester of a foreign language course, some beginning students seem to develop a sort of fluency by "reading for content."

(8) Rereading lessons which have been covered several weeks earlier is a valuable experience. However easy a text may be, reading in a foreign language is far more difficult than most of the intellectual tasks our beginning students have to confront. The only way they can have the experience of reading in French with something approaching skill, is for them to read something they have already learned to read. Is it not obvious that they will never learn to read well by reading badly? In addition to helping them get a sort of sense of the language, this practice is invaluable for vocabulary building: if students reread each lesson systematically, they can sometimes be weaned from the ancient custom of "overlearning" of vocabulary items and of cramming for examinations. Unfortunately, the only way to

persuade most students to do this sort of review is to include in each quiz a question based on texts which have been read earlier in the semester.

(9) *Films.* We find that a judicious use of films contributes not only to the development of the student's ability to hear and speak a foreign language but also to his ability to understand the printed page. In fact, this device is no doubt destined to play an increasingly important part in the teaching of foreign languages.

Our present practice is to use three short films in connection with the beginning Reader. For each film, we proceed as follows: (1) we have students read the script carefully, (2) show the film, (3) ask the students many simple questions in French, (4) show the film a second time, and (5) ask additional questions and have the students question each other. We use the easiest film we can find for our first venture, but for the second and third, we choose more sophisticated films such as "Paris a mon cœur" (Wayne University Series). This particular film not only gives our students the experience of seeing beautiful pictures of Paris but also serves as a highly stimulating and effective review of some of the material in the Reader.

ACKNOWLEDGMENTS

We take this opportunity to thank our colleagues who have used a part of the book in mimeographed form and who have given us invaluable criticisms and suggestions—especially M. Alfred Glauser, Mr. Karl G. Bottke, and Mr. Joseph E. Tucker. We are grateful also to the numerous teachers who have written to us to suggest that we bring out a reader which would be a companion volume to our *Basic Conversational French.* It is primarily in answer to this demand that we have written the book.

I

Arrivée à Paris

Le train transatlantique[1] entre dans la gare Saint-Lazare. Il s'arrête. Un instant plus tard, les voyageurs commencent à descendre. Il est évident que la majorité des voyageurs sont Américains. Quelques personnes parlent français. Mais les Français sont submergés dans la masse des touristes du 5 Nouveau-Monde.[2]

---

[1] Le train transatlantique, *the boat train*.

[2] Du Nouveau-Monde, *from the New World*.

GIRAUDON

[3] A l'air de venir, *looks as if* (lit. *has the appearance of*) *he comes.*

[4] Tout droit, *straight.* In English, we would say: *he looks as if he had just come from…*

[5] L'Ecole des Beaux-Arts: *the National School of Fine-Arts* (for students of architecture, painting, sculpture, and engraving.

[6] Un peu, *a little, somewhat.*

Voici une famille américaine: le père, la mère et leurs deux enfants. Voici un groupe de jeunes filles avec leur guide. Voici des scouts avec leur chef de troupe. Voici une jeune Française mariée à un Américain, qui arrive en France pour montrer son bébé à ses parents. Voici enfin un grand 5 jeune homme qui a l'air[3] de venir tout droit[4] d'une université américaine. C'est Bill Burgess. Après quatre ans dans un excellent collège en Amérique, il vient en France pour étudier à l'Ecole des Beaux-Arts.[5]

Bill sort de la gare avec ses deux valises. Tout de suite 10 un taxi arrive et s'arrête en face de lui.

— *Where to, sir?* lui demande poliment le chauffeur de taxi.

Bill est un peu[6] vexé. Il parle français assez bien et il a la ferme intention de parler français en France, même[7] si les chauffeurs de taxi lui parlent anglais.

—120 (Cent vingt), avenue Victor Hugo, répond Bill. Un peu pour prouver au chauffeur de taxi qu'il parle très
5 bien français, il continue: «J'ai seulement ces deux valises.»

Le chauffeur place les deux valises dans le taxi. Bill monte dans la voiture.

—Quelle joie d'être enfin à Paris! pense-t-il.

Le taxi part tout de suite. Dans la rue Saint-Lazare il
10 y a des autos, des autobus, des taxis, des bicyclettes, des scooters partout. Tous les chauffeurs de taxi semblent impatients: ils n'hésitent pas, même dans les situations les plus critiques. Cependant,[8] Bill observe que son chauffeur de taxi est très habile, que la circulation parisienne[9] n'a pas de
15 secrets pour lui. Un peu rassuré, il regarde avec curiosité le spectacle des rues de Paris. Voici une large[10] avenue plantée d'arbres, puis un monument que Bill reconnaît[11] tout de suite:[12] l'Arc de Triomphe. Quelques minutes plus tard, le taxi s'arrête. Bill descend et le chauffeur dépose ses
20 bagages sur le trottoir.[13]

—C'est combien? demande Bill.

—Trois cent cinquante francs, monsieur. J'espère que vous allez aimer notre capitale.

—Le chauffeur sait que je suis Américain, pense Bill. Et
25 cependant il me parle français. Voilà l'essentiel.[14]

Bill donne quatre cents francs au chauffeur de taxi, et, avec ses deux valises, il entre dans sa nouvelle habitation.

---

[7] Même, *even.*
[8] Cependant, *however.*
[9] La circulation parisienne, *Paris traffic.*
[10] Large, *broad.*
[11] Reconnaît, *recognizes.*
[12] Tout de suite, *immediately.*
[13] Le trottoir, *the sidewalk.*
[14] Voilà l'essentiel, *that's the main thing.*

II

Chez Mme Lange

Voici la concierge, Mme Arnauld. C'est une personne d'un certain âge,[2] qui marche difficilement. Elle a les cheveux gris[3] et elle porte une robe noire. Comme beaucoup de concierges à Paris, elle a un petit appartement au rez-de-chaussée[4] où elle habite avec son mari et son chat. 5

— Bonjour, madame, lui dit Bill. Je suis Bill Burgess. J'ai une chambre chez Mme Lange. Elle sait que j'arrive aujourd'hui.

— Vous êtes monsieur Burgess? Mme Lange vous attend.[5]

---

[1] Chez Mme Lange, *at the house* (or *apartment*) *of Mrs. Lange.* Notice that **madame** is abbreviated thus: **Mme** or **Mme.** **Monsieur** is abbreviated: **M.**

[2] D'un certain âge, *middle aged.*
[3] Les cheveux gris, *gray hair.*
[4] Au rez-de-chaussée, *on the ground floor.*
[5] Attend, *is expecting.*

Son appartement est au quatrième étage. Voulez-vous monter?[6] Voici l'ascenseur.

—Très volontiers, répond Bill. Après mon long voyage, je suis content d'être enfin à Paris.

5   Bill prend[7] ses valises, mais Mme Arnauld l'arrête. «Attendez, monsieur, dit-elle. Vous pouvez[8] laisser vos bagages ici. M. Arnauld va les monter[9] dans quelques minutes.»

Bill entre dans l'ascenseur. Il pousse le bouton marqué «Quatrième,» et l'ascenseur part lentement. «Les ascenseurs
10 français sont moins[10] rapides que les ascenseurs américains, pense Bill. Ce petit ascenseur ne monte pas très rapidement. Mais il monte, c'est l'essentiel.»

Arrivé au quatrième, Bill sort de l'ascenseur, trouve la porte de Mme Lange et sonne. Quelques instants plus tard
15 Mme Lange ouvre la porte. Elle reçoit[11] Bill très gentiment, lui pose des questions sur son voyage et lui montre une chambre magnifique.

—Voici votre chambre, monsieur, lui dit-elle. C'est la chambre de mon fils Pierre, qui est actuellement[12] en
20 Amérique. Du balcon, vous avez une belle vue sur l'avenue.

Bill est très favorablement impressionné. Il sort sur le balcon et admire la belle perspective de l'avenue. A quelque distance à droite, il voit l'Arc de Triomphe. Ensuite Mme Lange lui montre le salon, la salle à manger, la salle de
25 bains, la cuisine et le cabinet de travail[13] de son mari, qui est professeur au Lycée Janson-de-Sailly.[14] A ce moment,

---

[6] Monter, *to go up.*
[7] Prend, *picks up.*
[8] Vous pouvez, *you may* or *can.*
[9] Monter, *to take (them) up.* Compare the intransitive use of the verb **monter,** *to go up.*
[10] Moins, *less.*

[11] Reçoit, *receives.*
[12] Actuellement, *at present.*
[13] Le cabinet de travail, *the study* (lit. *the room of work*).
[14] Le Lycée Janson-de-Sailly: one of the best-known Lycées (secondary schools) in Paris.

«A quelque distance à droite, il voit l'Arc de Triomphe.»

«...Deux agents de police.»

M. Arnauld arrive avec les bagages de Bill. Il les place dans la chambre à coucher, à côté du lit. Bill le remercie.

Quand Mme Lange et M. Arnauld le quittent,[15] Bill examine sa chambre avec ses beaux meubles anciens, et il
5 sort de nouveau[16] sur le balcon. Il voit des enfants qui jouent sur le trottoir, des concierges qui bavardent[17] devant leur porte, deux agents de police. Il entend un vendeur de journaux qui crie «Paris-Presse,» «France-Soir»...

Il décide d'ouvrir ses valises et de ranger[18] ses affaires
10 avant d'aller dîner. «Je ne sais pas où je vais dîner, se dit-il. Je vais demander à la concierge s'il y a un bon restaurant près d'ici. A Paris, il n'est sans doute pas nécessaire d'aller très loin...»

---

[15] Quittent, *leave.*
[16] De nouveau, *again.*

[17] Bavardent, *gossip.*
[18] Ranger, *put away.*

8

III

Un Vieil Ami

A cinq heures et demie, on sonne à la porte de l'appartement de Mme Lange. Mme Lange va ouvrir de nouveau et trouve un jeune homme qui porte un béret, mais qui a l'air d'être Américain.

—Bonjour, madame, dit le jeune homme en enlevant 5 son béret. La concierge me dit que mon ami Bill Burgess est ici. Est-ce que je peux le voir?

—Certainement, monsieur. Il est dans sa chambre. Il est sans doute en train de¹ ranger ses affaires. Venez par ici,² s'il vous plaît. Voilà sa porte.   10

Jack frappe. Bill reconnaît la façon de frapper³ de Jack Stevens.

—Entrez, mon vieux,⁴ dit-il en ouvrant la porte. Quelle agréable surprise! Comment ça va? Entrez donc.⁵

—Je m'excuse d'arriver si tard,⁶ répond Jack. Je ne suis 15 pas libre aujourd'hui avant cinq heures. Impossible par conséquent d'être à la gare au moment de l'arrivée du train transatlantique. Mais quelle belle chambre! Vous avez de la chance.⁷

Bill lui montre son balcon et la vue sur l'avenue. En- 20 suite les deux amis parlent longuement de leur vie passée

¹ En train de, *busy* (lit. *in the act of*. Always used with an infinitive).

² Par ici, *this way* (lit. *by here*).

³ La façon de frapper de Jack, *Jack's knock* (lit. *the way of knocking of Jack*).

⁴ Mon vieux, *pal* (lit. *my old*).

⁵ Entrez donc, *do come in*.

⁶ Tard, *late*.

⁷ Vous avez de la chance, *you are lucky*.

et présente, de leurs parents, de leurs amis communs. Bill
donne ses impressions sur son voyage et son arrivée à Paris.
Jack connaît déjà bien la ville. C'est sa deuxième année à
l'Institut des Etudes Politiques.

5   —Allons dîner ensemble, propose Jack. Je connais un
petit restaurant où les prix ne sont pas excessifs et où la
cuisine est excellente. C'est assez loin d'ici, mais j'ai ma
voiture. D'ailleurs,[8] à Paris on ne dîne jamais avant sept
heures ou sept heures et demie.

10   L'auto de Jack est une petite Renault, qu'il conduit[9]
avec toute l'audace d'un chauffeur de taxi.

«...une petite Renault.»

« . . . sur la terrasse. »

— Mais dites donc,[10] Jack, dit Bill, il me semble que vous allez beaucoup trop vite.

— Oh! répond Jack, quand on est à Paris, il faut faire comme les Parisiens.

Nos deux amis descendent une magnifique avenue, traversent la Seine[11] et bientôt ils arrivent à leur destination.

— Dînons sur la terrasse, suggère Jack. Il y a encore des tables libres. J'aime bien dîner dehors[12] quand il fait chaud.

Un garçon arrive et leur présente la carte. John la

---

8 D'ailleurs, *besides.*
9 Qu'il conduit, *and he drives it.*
10 Mais dites donc, *But say!*
11 La Seine, *the river Seine,* which traverses Paris dividing it into the *Right Bank* (north of the river) and *the Left Bank,* called «la Rive Droite» and «la Rive Gauche.»
12 Dehors, *outside.*

*« Sur les
grands
boulevards. »*

GIRAUDON

regarde. La liste des plats[13] est si longue et leur variété si grande qu'il ne sait pas où commencer. Ironiquement, Jack vient à son aide:

— Commencez par les hors-d'œuvre,[14] lui conseille-t-il, et
5 finissez par le dessert.

— Quelle espèce de vin voulez-vous, monsieur? demande le garçon.

Bill regarde la carte des vins, et sa perplexité recommence. De nouveau, Jack vient à son aide. «Apportez-nous
10 une bouteille de chablis,»[15] dit-il au garçon.

Après les hors-d'œuvre nombreux et variés, Bill a l'impression d'avoir presque[16] fini son dîner. Mais il continue bravement, et triomphe[17] successivement d'une entrée,[18] d'un légume[19] et d'un dessert.

15 — Ce dîner est délicieux, dit-il à Jack en finissant son café. Mais si je dîne comme ça tous les jours, je ne vais pas beaucoup étudier les beaux arts.

12

«La cuisine est vraiment un art.»

— En France, la cuisine est vraiment un art, répond Jack. Elle mérite[20] presque d'être considérée comme un des beaux arts; et c'est une étude très agréable.

En partant du restaurant, Jack demande à Bill s'il veut faire une promenade[21] sur les grands boulevards.[22] «La vie des boulevards est toujours amusante,» dit-il.

— Volontiers, répond Bill. Après ce dîner, c'est une bonne idée de marcher un peu.

---

[13] Un plat, *a dish.*

[14] Les hors-d'œuvre, *appetizers* (highly seasoned dishes such as sardines, olives, etc.).

[15] Une bouteille de chablis, *a bottle of Chablis.* Chablis is a dry white wine from Burgundy.

[16] D'avoir presque fini, *of having almost finished.*

[17] Triomphe...de, *manages to eat* (lit. *triumphs over).*

[18] Une entrée, *a main course.*

[19] Un légume, *a vegetable course.*

[20] Mérite, *deserves.*

[21] S'il veut faire une promenade, *if he wants to take a walk.*

[22] Les grands boulevards: a wide street in the heart of the shopping district which changes its name every few blocks.

13

IV

Sur les Grands Boulevards

Bill et Jack se promènent[1] sur le Boulevard des Italiens.
Il est dix heures du soir, la soirée[2] est belle et il y a beaucoup de gens venus[3] faire une promenade après dîner. Bill
est surpris du caractère cosmopolite de la foule.[4] On voit
5 tous les types physiques, on entend parler toutes les langues.
Bill observe qu'il est souvent facile de reconnaître les différentes nationalités: les Anglais, les Scandinaves, les Allemands,[5] les Espagnols, sans compter naturellement les
Américains.
10   — Mais où sont les Français? demande-t-il à Jack.
    — N'exagérez pas, répond Jack. Il y a encore[6] des Fran-
çais ici. Cependant, nous sommes au mois d'août,[7] et comme
le mois d'août est d'ordinaire le mois le plus chaud de
l'année, beaucoup de Parisiens quittent Paris pour passer
15 leurs vacances en province. En été, Paris appartient[8] aux
touristes, ou presque...
    — Tiens![9] dit Bill, en regardant un groupe de jeunes
gens et de jeunes filles qui passent, les jeunes Françaises ne
sont pas très différentes des Américaines. Apparemment, les
20 modes sont les mêmes ici qu'aux Etats-Unis. Mais pourquoi

---

[1] Se promènent, *are walking.*
[2] La soirée, *the evening.*
[3] Gens venus, *people who have come* (lit. *having come*).
[4] La foule, *the crowd.*
[5] Les Allemands, *the Germans.*

[6] Encore, *still.*
[7] Nous sommes au mois d'août, *it's August* (lit. *we are in the month of August*).
[8] Appartient, *belongs.*
[9] Tiens! *Well!* or *Say!*

« *On voit tous les types physiques, on entend
parler toutes les langues.* »

SCHLAPFER

Pourquoi tant de personnes âgées portent-elles des couleurs sombres?

A Droite: *Une heure du matin.* Contrastes: *le Moulin Rouge (Montmartre) —, et la rue Saint-Etienne-du-Mont.*

tant de[10] personnes âgées portent-elles des couleurs sombres? Presque toutes les femmes qui ont dépassé la cinquantaine[11] sont habillées en noir.

— Je ne sais pas pourquoi, répond Jack. C'est une tra-
5 dition, je suppose.

— Et je remarque qu'un grand nombre d'hommes ne portent pas de chapeau.

— Vous êtes un merveilleux observateur, Bill. Les Parisiens portent un chapeau en hiver, mais en été, beaucoup
10 considèrent que c'est un ornement superflu.

La foule est riche en contrastes. A côté de[12] gens à l'apparence prospère,[13] on voit aussi de pauvres diables,[14] pour qui la vie est manifestement difficile. Il y a beaucoup de monde à la terrasse des cafés.

15 — Est-ce que cette animation continue[15] toute la nuit? demande Bill.

— Non, répond Jack. Elle commence à diminuer vers minuit. Beaucoup de touristes vont s'amuser dans les cabarets et dans les dancing[16] de Montmartre.[17] Mais les
20 grands boulevards sont à peu près déserts à une heure du matin. «Pas un chat[18] dans les rues,» comme disent les Français. Plus exactement, on voit seulement quelques chats

16

dans les rues...et quelques agents de police. La vie recommence[19] vers sept heures du matin, quand les gens vont à leur travail.

Nos deux amis arrivent sur la Place de l'Opéra.[20]

[10] Tant de, *so many.*

[11] Qui ont dépassé la cinquantaine, *past fifty* (lit. *who have passed their fiftieth year*).

[12] A côté de, *beside.*

[13] A l'apparence prospère, *prosperous looking* (lit. *with prosperous appearance*).

[14] Pauvres diables, *poor folks* (lit. *devils*).

[15] Est-ce que cette animation... *are there crowds like this...* (lit.

does this bustle continue...).

[16] Les dancing, *night clubs.*

[17] Montmartre: center of night life in Paris, north of the shopping center.

[18] Pas un chat, *not a cat,* that is, *not a soul.*

[19] Recommence, *resumes.*

[20] L'Opéra: the great opera house which dominates the Place de l'Opéra and the Grands Boulevards.

17

    —Cet Opéra est un monument très gracieux,[21] explique Jack. Malheureusement, il n'y a pas de représentations[22] en ce moment. Comme presque tous les théâtres parisiens, l'Opéra est fermé pendant quelques semaines en été. Les
5 représentations ne recommencent pas avant le mois de septembre.

    —Mais pourquoi fermer en été quand tous les touristes sont à Paris? demande Bill.

    —Les acteurs et les musiciens ont besoin de vacances
10 comme tout le monde, répond Jack... Mais je remarque qu'il est onze heures passées. Il est l'heure de rentrer, ne croyez-vous pas? Après votre long voyage, vous avez sans doute besoin de repos.

    —Oui, dit Bill. Cette promenade est extrêmement
15 agréable; mais à vrai dire,[23] je commence à être un peu fatigué...

[21] Gracieux, *elegant.*
[22] Représentations, *performances.*

[23] A vrai dire, *to tell the truth.*

V

Dans le Métro

Bill et Jack descendent dans la station de métro[1] de l'Opéra. Au guichet,[2] Jack achète deux billets de première classe.

— Vous savez sans doute qu'il y a deux classes dans le métro, explique-t-il à Bill; et comme il y a beaucoup de 5 gens qui rentrent chez eux[3] à cette heure-ci, je crois qu'il est plus prudent d'aller en première.

---

[1] Le Métro, *the subway*. The full name of the system is «Le Métropolitain.»

[2] Le guichet, *the ticket window*.

[3] Rentrent chez eux, *are going home*.

19

« *Le métro parisien est vraiment très bien.* »

Les jeunes gens suivent une galerie⁴ et arrivent sur le quai.⁵

— Le métro parisien est vraiment très bien, dit Bill. Tout est moderne, propre et clair. Est-ce qu'il est difficile de trouver sa route?⁶   5

— Pas du tout, répond Jack. Regardez cette carte.⁷ Vous voyez que les lignes du métro traversent Paris dans tous les sens.⁸

— Mais comment change-t-on de ligne?

— Vous voyez là-bas l'entrée de cette galerie, avec l'indi- 10 cation:⁹

CORRESPONDANCE
Pt de Levallois — Pte des Lilas.

Cela signifie que cette galerie vous conduit¹⁰ à la ligne qui va du Pont de Levallois¹¹ à la Porte des Lilas.¹² Elémentaire, 15 mon cher Bill.

— Est-ce qu'on peut se procurer¹³ une petite carte du métro? Je ne connais pas du tout Paris, vous savez.

— Mais oui. On les trouve chez tous les libraires.¹⁴ Mais voici un train qui arrive. Dépêchons-nous.¹⁵ Il ne s'arrête 20 que¹⁶ quelques secondes.

---

⁴ Suivent une galerie, *follow a corridor.*
⁵ Sur le quai, *on the platform.*
⁶ Sa route, *your way* (lit. *one's way*).
⁷ Cette carte, *that map.* Maps of the subway system are placed in all stations.
⁸ Dans tous les sens, *in all directions.*
⁹ L'indication, *the sign.*
¹⁰ Conduit, *takes* (lit. *conducts*).
¹¹ Le Pont de Levallois, *the Bridge of Levallois* in the northwestern part of the city.

¹² La Porte des Lilas, *the Gate of the Lilacs,* one of the gates on the east side of the city. The walls and gates of the city have long since been torn down, but the places where the gates used to be still are called *gates:* Porte d'Orléans, Porte de Vincennes, Porte de Versailles, etc.
¹³ Se procurer, *get.*
¹⁴ Chez tous les libraires, *in all the book-stores.*
¹⁵ Dépêchons-nous, *Let's hurry.*
¹⁶ Ne...que, *only.*

Vieille porte de Paris sur les grands boulevards.

Nos deux amis montent. Les portes automatiques se ferment.[17] Le train part et, très rapidement, il atteint[18] toute sa vitesse.[19]

— Heureusement que nous sommes en première, dit Bill. Il y a foule en seconde classe, et, après notre longue pro- 5 menade, je suis content d'être assis.[20]

Les stations se succèdent et, à intervalles réguliers, leurs lumières interrompent la monotonie du voyage souterrain. Il est presque minuit. Le visage de beaucoup de voyageurs révèle la fatigue d'une journée de travail.[21]   10

— On croit souvent[22] que Paris est une ville où l'on s'amuse,[23] dit Jack — "Gay Paris", les cabarets, et caetera. Mais pour l'immense majorité des Parisiens, la vie pari- sienne est une vie de travail, souvent monotone. Les fa- meuses Folies-Bergère sont surtout[24] pour les touristes. En 15 été, le grand plaisir des Parisiens, c'est sans doute de passer une journée de repos[25] à la campagne.

— Je comprends ça; je suis épuisé,[26] même après ma pre- mière journée à Paris. Quand arrivons-nous?

— Nous descendons au prochain arrêt.[27] Réveillez-vous.[28] 20

Sortis[29] du métro, Bill et Jack retournent à leur auto. A minuit et demi, ils se quittent[30] devant l'appartement de l'avenue Victor Hugo.

[17] Se ferment, *close.*
[18] Atteint, *gets, picks up.* Compare English *attain.*
[19] Toute sa vitesse, *full speed.*
[20] Assis, *seated.*
[21] Une journée de travail, *a day of work.*
[22] Souvent, *often.*
[23] Où l'on s'amuse, *where people have a good time.* Note that after «où» or «si» you usually

say «l'on» instead of «on.»
[24] Surtout, *especially.*
[25] Une journée de repos, *a day of rest.*
[26] Epuisé, *exhausted.*
[27] Au prochain arrêt, *at the next stop.*
[28] Réveillez-vous, *Wake up!*
[29] Sortis, *Having left.*
[30] Se quittent, *leave each other, separate.*

VI

Une Rencontre

Quelques semaines passent. L'automne arrive. Il fait encore beau, mais les journées, et surtout les nuits, sont plus fraîches.[2] C'est bientôt la saison des pluies[3] et de la rentrée des classes.[4]

5   Bill se promène souvent dans le Quartier Latin, qui est depuis longtemps[5] le quartier des écoles parisiennes. Dans les rues voisines[6] de l'Université, il y a beaucoup de libraires. Les gens qui passent s'arrêtent pour examiner un vieux livre, ou un livre récent couvert[7] en papier jaune avec l'in-

10 dication: *Vient de paraître.*[8]

    Un jour, Bill tourne les pages d'un volume sur l'architecture moderne, quand soudain[9] il entend une jeune voix

GIRAUDON

[1] Une rencontre, *a meeting*—usually of two persons.
[2] Fraîches (feminine plural), *cool.*
[3] La pluie, *the rain.*
[4] La rentrée des classes, *the opening of school* (lit. *the return of classes*).
[5] Est depuis longtemps, *has been for a long time.* Note that when the present tense of a verb is used with «depuis» it has the meaning of our present perfect tense.
[6] Rues voisines, *nearby* (lit. *neighboring*) *streets.*
[7] Couvert, *with a cover* (lit. *covered*).
[8] Vient de paraître, *Just published* (lit. *has just appeared*).

féminine, manifestement américaine, l'appeler par son nom. Surpris,[10] il se retourne:

— Ann Tilden! s'écrie-t-il. Qu'est-ce que vous faites ici?

— J'étudie le français, et je vais passer l'année à la Sorbonne,[11] avec une bourse Fulbright.[12] Et vous, Bill?   5

— Je suis à l'Ecole des Beaux-Arts, dans la section d'architecture. Mais, dites-moi, qu'est-ce que vous faites depuis[13] votre départ de Philadelphie?

— Mes parents habitent maintenant à Los Angeles. Je suis étudiante à U.C.L.A.   10

— Quelle chance de nous rencontrer[14] à Paris! Le monde est vraiment bien petit.[15] Imaginez: vous venez de Philadelphie, je viens de Los Angeles, et nous nous rencontrons par hasard[16] ici...

Ann ne sait pas que ces rencontres inattendues[17] ne sont   15 pas rares. Beaucoup de touristes ont la surprise de retrouver

GIRAUDON

[9] Soudain, *suddenly.*
[10] Surpris (masculine singular), *surprised.*
[11] La Sorbonne: the central part of the University of Paris which is now devoted to the study of Letters and Science.
[12] Une bourse Fulbright, *a Fulbright fellowship.*
[13] Depuis: Compare note 5.
[14] Quelle chance de nous rencontrer..., *What luck for us to meet...*
[15] Bien petit, *very small.*
[16] Par hasard, *by chance.*
[17] Inattendues (f. pl.), *unexpected.*

« A dix heures du matin le Jardin est presque désert. »

par hasard des gens qu'ils connaissent. Ce n'est pas que[18] le monde est petit. C'est que les touristes visitent les mêmes endroits.[19]

5 Bill et Ann montent le boulevard et entrent dans le Jardin du Luxembourg,[20] tout décoré des riches couleurs de l'automne. Il est dix heures du matin, et le Jardin, avec son vieux palais aux murs gris,[21] est presque désert. Il y a seulement quelques vieux messieurs qui lisent leur journal et quelques mères avec leurs enfants qui jouent au soleil.

10 —Vous rappelez-vous nos années d'école à Philadelphie? demande Bill.

—On dit que ce sont[22] les meilleures années de la vie, répond Ann. Cependant,[23] la vie d'un étudiant à Paris est très agréable.

26

Les deux jeunes gens parlent de l'avenir.[24] Bill explique ses projets.[25] Au mois de juillet prochain, il va retourner aux Etats-Unis pour travailler chez[26] son oncle, qui est architecte à New-York. Ann va continuer ses études en Californie.   5

—Est-ce que vous ne vous sentez[27] pas quelquefois un peu seule, si loin de votre famille? demande Bill.

—Non, répond Ann. Evidemment, j'aime beaucoup mes parents, mais je me dis[28] que notre séparation est temporaire. Il y a tant de choses à voir et à faire ici que je n'ai 10 pas le temps de me sentir seule. D'ailleurs, je connais très bien une famille française, qui m'a presque adoptée. Le père, M. Brégand, est ingénieur[29] aux usines Renault;[30] Jacqueline, sa fille, a dix-neuf ans, et son fils Raymond, qui a vingt et un ans, fait son service militaire à Versailles. Ce 15 sont des gens charmants. Voulez-vous faire leur connaissance?[31]

—Volontiers.

—Eh bien, je vais leur demander de vous inviter un de ces jours.   20

[18] Ce n'est pas que, *It isn't that...*
[19] Les mêmes endroits, *the same places.*
[20] Le Jardin du Luxembourg, *the garden of the Luxembourg palace,* one of handsome public parks of Paris.
[21] Aux murs gris, *gray walled* (lit. *with gray walls*).
[22] Ce sont, *they are.* (*Ce sont* is the plural of *c'est.*)
[23] Cependant, *however.*

[24] L'avenir, *the future.*
[25] Un projet, *a plan.*
[26] Chez, *in the office of.* Compare: chez les libraires, chez moi.
[27] Vous...vous sentez, *you feel.*
[28] Je me dis, *I tell myself.*
[29] Ingénieur, *engineer.*
[30] Aux usines Renault, *in the Renault plant.*
[31] Faire leur connaissance, *meet them* (lit. *make their acquaintance*).

Une belle maison, avec un jardin fermé par une grille de fer.

VII
Une Invitation

C'est aujourd'hui dimanche. Ann et Bill sont invités à passer la journée chez les Brégand, qui habitent à Neuilly[1] près du Bois de Boulogne.[2] A midi moins dix, Ann vient en taxi chercher[3] Bill, dont[4] l'appartement n'est pas très loin de la maison des Brégand.

— Vous êtes juste à l'heure,[5] lui dit-il. Vous êtes admirable, exceptionnelle, Ann, puisqu'on dit que l'exactitude[6] n'est pas une vertu féminine.

— Je n'ai pas le choix,[7] répond modestement Ann. Nous ne pouvons pas être en retard.[8]

Quelques minutes plus tard, le taxi les dépose devant l'habitation des Brégand. C'est une belle maison à deux

5

10

---

[1] Neuilly is a pleasant residential section of Paris, near the famous Bois de Boulogne.
[2] Le Bois de Boulogne is a large park on the west side of the city.
[3] Chercher, *to get* (lit. *to look for*).
[4] Dont, *whose.*

[5] Juste à l'heure, *right on time, punctual.*
[6] L'exactitude, *promptness, punctuality.*
[7] Je n'ai pas le choix, *I have no choice.*
[8] En retard, *late.*

étages,[9] située au fond d'un jardin[10] fermé par une haute
grille en fer.[11]

— Les Français sont de grands individualistes, explique
Ann. Ils entourent volontiers[12] leurs maisons de murs et
5 font tout leur possible[13] pour s'isoler. Ils sont cependant
très hospitaliers, quand on les connaît.

Ann sonne à la porte de la grille. La porte s'ouvre automatiquement. Ils entrent et traversent la cour.[14] M. Brégand
sort de la maison et vient à leur rencontre.[15] C'est un homme
10 d'une cinquantaine d'années, grand et distingué, avec une
courte moustache grise. Ann fait les présentations:

— M. Brégand, permettez-moi de vous présenter Bill
Burgess. C'est un ancien camarade d'école. Il habite à
Philadelphie.

15   — Enchanté, répond M. Brégand. Je suis content de vous
avoir ici. Entrez donc. Ma femme et ma fille sont au salon.[16]
Mon fils n'est malheureusement pas libre aujourd'hui.

Au salon, Bill fait la connaissance de Mme Brégand et
de Jacqueline, jolie jeune fille brune[17] qui, comme Ann,
20 est étudiante à la Faculté des Lettres.

— Je connais un peu votre ville natale, dit M. Brégand
à Bill, ou plutôt je sais qu'elle existe. Après la guerre, j'ai
passé quelques semaines aux Etats-Unis, pour remplacer[18]
le matériel de mon usine détruit[19] pendant l'occupation.
25 J'avoue[20] que de Philadelphie, de Chicago, de Detroit, je
me souviens surtout des usines, des machines — et aussi de
l'hospitalité de mes amis américains.

— Si vous avez l'occasion de retourner en Amérique,
répond Bill, j'espère bien que vous allez venir nous voir à
30 Philadelphie. Il y a autre chose aux Etats-Unis que des
usines et des machines, vous savez.

Aux usines Renault.

— Depuis mon enfance,[21] je désire[22] visiter le Far-West, voir des Peaux-Rouges[23] et des cow-boys, dit en souriant[24] M. Brégand.

[9] A deux étages, *three stories high.* The French do not count the ground floor as a story.

[10] Au fond d'un jardin, *well back from the street* (lit. *at the back of a garden*).

[11] En fer, *of iron.*

[12] Ils entourent volontiers, *they like to enclose.*

[13] Font tout leur possible, *do all they can.*

[14] La cour, *the yard.* «La cour» often means a *tiny court* but it may mean a *large yard.*

[15] Vient à leur rencontre, *comes to meet them.*

[16] Au salon, *in the living room.*

[17] Brune, *brunette.*

[18] Remplacer, *to replace.*

[19] Détruit, *which was destroyed.* This use of the past participle instead of a relative clause is very common in French.

[20] J'avoue, *I admit.*

[21] Depuis mon enfance, *ever since my childhood.*

[22] Compare p. 24, note 5.

[23] Les Peaux-Rouges, *the Red-Skins.*

[24] En souriant, *smiling.*

—Il y a toujours[25] des Peaux-Rouges et des cow-boys, répond Bill. Mais, maintenant, ils sont un peu mécanisés...

Après le déjeuner à la française[26]—c'est-à-dire composé d'une série de plats, chacun accompagné d'un vin différent, 5 les Brégand et leurs invités reviennent au salon prendre le café. Au cours de[27] la conversation, Bill pose quelques questions sur la situation des usines Renault, où l'on fabrique[28] des automobiles très populaires en France et même dans certains pays étrangers.

10   —Notre production est bonne, déclare M. Brégand. Malheureusement, comme d'autres industries françaises, nous travaillons avec de sérieux handicaps d'ordre économique, social et politique. Si la question vous intéresse, je vais un jour vous expliquer tout cela.

15   Vers trois heures de l'après-midi, Raymond arrive, à la surprise générale. Il porte un uniforme kaki orné des galons de caporal. Les présentations faites,[29] il explique sa présence.

—J'ai une permission de minuit,[30] dit-il. Mon capitaine est un chic type,[31] et comme je travaille dans son bureau, il 20 est particulièrement gentil pour moi.

Le soir, les quatre jeunes gens décident d'aller ensemble au cinéma.

---

[25] Toujours, *still.* The word often has the meaning *always.*

[26] A la française, *French style.*

[27] Au cours de, *in the course of.*

[28] Où l'on fabrique, *where they make.*

[29] Les présentations faites, *after being introduced* (lit. *the introductions having been made*).

[30] Une permission de minuit, *a midnight pass.*

[31] Un chic type, *a "good guy."* This is a slightly slangy expression for «un excellent homme.»

VIII

De la Pluie et du Beau Temps

A la sortie du cinéma,[2] où ils ont passé la soirée ensemble, Ann, Jacqueline, Bill et Raymond marchent sous[3] une petite pluie fine et persistante. Les lumières[4] des rues se reflètent sur la foule des parapluies ouverts.

—Quel temps! Depuis deux jours, il pleut[5] sans arrêt, 5 déclare Raymond.

—En cette saison, le climat de Paris a l'air de ressembler beaucoup au climat de la Californie, dit Bill en regardant malicieusement Ann.

—En Californie, il fait toujours beau, répond Ann avec 10

[1] De la pluie et du beau temps, *a few clichés* (lit. *about rain and fine weather*).

[2] A la sortie du cinéma, *after the movies* (lit. *upon the departure from the movies*).

[3] Sous, *under*. But in English **we** say, "*in* the rain" rather than "*under*" it.

[4] La lumière, *the light*.

[5] Il pleut, *it has been raining.* Compare p. 24, note 5.

bonne humeur. Il n'y a que[6] les gens de la Floride qui disent le contraire.

— Nous sommes au début de novembre, explique Raymond. A partir de la Toussaint,[7] il pleut assez souvent et

[6] Il n'y a que les gens de la Floride qui, *Only people from Florida* (lit. *there are only people from Florida who*).

[7] La Toussaint, *All Saints Day* (November 1st).

[8] Un brouillard, *a fog.*

[9] La mer, *the sea.*

[10] Ne ... ni ... ni ..., *neither... nor.*

[11] En ce qui concerne, *as for.* Compare English: *"as far as — is concerned."*

[12] Plus de sûreté, *greater safety.*

*En octobre il fait beau à Paris. Deux ou
trois fois pendant l'hiver il neige.*

les brouillards[8] sont fréquents. Paris n'est pas très loin de
la mer,[9] vous voyez. Les géographes disent que nous avons
un climat tempéré, c'est-à-dire qu'il ne fait ni[10] trop chaud
ni trop froid. Mais, en ce qui concerne[11] l'humidité, notre
climat est quelquefois intempéré... Croyez-moi, à Paris, 5
pendant l'hiver, il est toujours prudent d'avoir un imperméable, et, pour plus de sûreté,[12] un parapluie.
   —Est-ce qu'il neige beaucoup? demande Ann.

— Non, deux ou trois fois pendant l'hiver. D'habitude,[13]
la neige ne dure pas longtemps, juste assez pour être
désagréable.

— C'est dommage, dit Ann, car j'aime beaucoup les sports
5 d'hiver.

— Alors, venez avec moi à Saint-Moritz, dit Jacqueline.
J'y vais tous les ans faire du ski.

— Je n'aime pas la neige et la glace, dit Bill.

— Eh bien, répond Raymond, quand vous avez froid,
10 descendez à Cannes ou à Nice. Vous pouvez nager[14] dans
les flots bleus[15] de la Méditerranée, en compagnie de jolies
baigneuses.[16] La France vous offre toute sorte de facilités...

— Est-ce que l'hiver dure longtemps ici? demande Ann.

— A peu près trois mois, dit Raymond. Nous avons des
15 saisons assez bien marquées, qui correspondent aux saisons
du calendrier: le printemps, de mars à mai; l'été, de juin à
août; l'automne, de septembre à novembre; et l'hiver, de
décembre à février. En été, il fait beau, avec quelques
pluies; en automne, c'est la même chose, excepté qu'il
20 pleut davantage;[17] en hiver, le ciel est gris et il pleut beaucoup, mais il ne fait pas trop froid; au printemps, le temps
est «variable,» comme dit le baromètre. Pourtant, le printemps à Paris est d'habitude une saison délicieuse.[18] Les
premiers signes apparaissent[19] dès[20] le mois de mars. Il fait
25 encore frais, mais, après les longs mois d'hiver, c'est un
plaisir de voir les premières feuilles[21] et d'entendre les
oiseaux[22]... A propos, avez-vous des vêtements chauds pour
l'hiver?

— Oui, pourquoi?

30 — Parce que, quand on n'est pas habitué au climat parisien, on peut très facilement avoir froid ici. Même s'il ne
fait pas très froid, le temps est souvent humide, et nos

«*Le printemps
à Paris est
d'habitude
une saison
délicieuse.*»

maisons sont moins bien chauffées[23] qu'en Amérique.

— Voyons,[24] Raymond, dit Jacqueline, Ann et Bill savent bien qu'il fait froid en hiver. D'ailleurs ils ont l'air d'être en bonne santé[25] tous les deux. Ils ne vont pas souffrir excessivement dans un climat aussi doux[26] que le nôtre. 5

Ann et Bill accompagnent Jacqueline et Raymond jusqu'à l'entrée de la maison des Brégand. Là, les amis se séparent, en promettant[27] de se revoir bientôt.

[13] D'habitude, *usually.*
[14] Nager, *swim.*
[15] Les flots bleus, *the blue waves, the blue waters.*
[16] Une jolie baigneuse, *a bathing beauty.*
[17] Davantage, *more.*
[18] Délicieuse, *delightful.* In French the word may be applied to things other than food and drink.
[19] Apparaissent, *appear.*
[20] Dès, *as early as, as soon as.*
[21] Une feuille, *a leaf.*
[22] Un oiseau, *a bird.*
[23] Chauffées (feminine plural), *heated.*
[24] Voyons, *See here* (lit. *let's see*).
[25] En bonne santé, *in good health.*
[26] Doux, *mild.*
[27] En promettant de, *promising to.*

RAPHO-GUILLUMETTE

IX

Aux Halles

GIRAUDON

—Demain matin de bonne heure,[2] allons faire un tour[3] aux Halles, propose un soir Jack à Bill.

—Qu'est-ce que c'est que ça? demande Bill. Un monument historique? Pourquoi y aller de bonne heure?

—Mais non, répond Jack, vous n'y êtes pas du tout.[4] 5 Les Halles sont le grand marché[5] d'alimentation[6] de Paris. C'est un bon endroit pour observer quelques aspects curieux, et souvent amusants, de la vie quotidienne[7] de la capitale. C'est peut-être le seul endroit de Paris où la vie ne s'arrête ni le jour ni la nuit, et cela l'hiver comme l'été, 10 car il faut manger en toute saison, n'est-ce pas?

---

[1] Aux Halles, *At the Central Markets.* As the «h» is aspirate, avoid linking.

[2] De bonne heure, *early.*

[3] Faire un tour, *take a turn* or *a walk.*

[4] Vous n'y êtes pas du tout, *that isn't it at all* (lit. *you are not there…*).

[5] Le marché, *the market.*

[6] Alimentation, *food.*

[7] La vie quotidienne, *daily life.*

—Est-ce que c'est quelque chose comme le Marché français de La Nouvelle-Orléans?[8]

—Oui, quelque chose comme ça, mais infiniment plus
vaste. Au fond,[9] le Marché français de La Nouvelle-Orléans
5 est surtout une curiosité historique, une relique du passé,
tandis que les Halles conservent[10] toute leur importance
économique. C'est toujours,[11] selon l'expression de Zola,[12]
«le ventre de Paris.»[13]

—Est-ce que ces Halles existent depuis longtemps?

—Le marché existe depuis le moyen âge,[14] mais les bâtiments des Halles actuelles sont relativement récents. N'oubliez pas que, pendant des siècles, la Seine a été le moyen
le plus sûr et le plus rapide d'approvisionner[15] Paris en 5
objets périssables.[16] Le commerce de la viande,[17] du poisson,[18] des légumes, des fleurs[19] s'est donc développé dans le
voisinage[20] du fleuve, dans la partie centrale et la plus ancienne de la ville. Même si, de nos jours,[21] les nouveaux
moyens[22] de transport favorisent la dispersion du commerce, 10
la tradition d'un marché central s'est conservée.

—Si je vous comprends bien, conclut Bill, les Halles
sont l'ancien Super-Market de Paris...

—Oui, plus ou moins, répond Jack avec un sourire. Mais
vous allez voir...   15

Le lendemain,[23] vers six heures du matin, Jack et Bill
arrivent dans le quartier des Halles. Toutes les rues voisines du marché[24] sont encombrées de voitures, de camion-
nettes,[25] de camions chargés de légumes et de fruits. Des
hommes sont en train de prendre des paniers[26] de légumes 20
et de fruits et de les déposer sur le trottoir.

---

[8] La Nouvelle-Orléans, *New Orleans.*
[9] Au fond, *really, in reality* (lit. *at
bottom*).
[10] Conservent, *keep, still have.*
[11] Toujours, *still.*
[12] Zola: well-known novelist of the
19th century.
[13] Le ventre, *the stomach,* or, more
properly, *the belly.*
[14] Le moyen âge, *the Middle Ages.*
[15] Approvisionner, *to supply, to
to bring provisions to.*

[16] Objets périssables, *perishable
goods.*
[17] La viande, *meat.*
[18] Le poisson, *fish.*
[19] Les fleurs, *flowers.*
[20] Le voisinage, *the neighborhood.*
[21] De nos jours, *in our time.*
[22] Le moyen, *the means.*
[23] Le lendemain, *the next day.*
[24] Les rues voisines du marché, *the
streets near the market.*
[25] Une camionnette, *a light truck.*
[26] Un panier, *a basket.*

— On appelle ces gens-là les *forts des Halles*,[27] explique Jack, parce que l'habitude de porter de lourdes charges[28] a considérablement développé leurs muscles.

— Mais d'où[29] viennent tous ces produits?[30] demande Bill.

5 — D'un peu partout,[31] répond Jack. Cela dépend de la saison. En été, les légumes frais[32] arrivent surtout de la banlieue[33] parisienne. N'avez-vous pas remarqué, en arrivant par le train, que la région autour de Paris est couverte de jardins potagers?[34]

10 — Oui, répond Bill. J'ai même trouvé ces jardins fort agréables, avec les murs de pierre[35] qui les entourent et les jolies petites maisons.

— La Normandie et surtout la Bretagne envoient aussi beaucoup de légumes à Paris, continue Jack. En hiver et 15 au printemps, les légumes et les fruits viennent surtout du Midi[36] et de l'Afrique du Nord, où le climat est plus doux. Le poisson de mer arrive des ports de l'Atlantique, de la Manche[37] et de la Mer du Nord; la viande, de toutes les parties de la France, particulièrement de la région de 20 l'Ouest[38] et du Centre. Bref, vous trouvez ici des produits de presque toutes les régions de la France métropolitaine[39] et de la France d'outre-mer.[40]

---

[27] Les forts des Halles, *the strong men of the Halles.*

[28] De lourdes charges, *heavy loads.*

[29] D'où, *from where?*

[30] Un produit, *a product.*

[31] D'un peu partout, *from everywhere* (lit. *from a little everywhere*).

[32] Frais, *fresh.* The word also means *cold* or *cool.*

[33] La banlieue, *the suburbs.*

[34] Couverte de jardins potagers, *covered with vegetable gardens.*

[35] Les murs de pierre, *stone walls.*

[36] Le Midi, *the South.*

[37] De la Manche, *of the English Channel.*

[38] L'Ouest, *the West.*

[39] La France métropolitaine, *continental France.*

[40] La France d'outre-mer, *overseas France.*

X

Aux Halles

(SUITE ET FIN)

Tandis que[2] le marché des légumes est en plein air, la viande et le poisson se vendent à l'intérieur de grands bâti-

---

[1] Suite et fin, *continued and concluded.*

[2] Tandis que, *while* (in the sense of *whereas*).

ments construits en fer[3] et ouverts de tous les côtés.[4] Bill et
Jack entrent dans un de ces bâtiments, où se presse[5] une
foule considérable.

— Beaucoup de gens préfèrent s'approvisionner[6] ici, ex-
5 plique Jack, car les prix[7] sont d'ordinaire moins élevés[8] que
dans les magasins. Le matin, de très bonne heure, arrivent
les acheteurs[9] des restaurants et des hôtels. Plus tard, au
cours de la matinée, arrivent des bonnes,[10] des ménagères[11]
qui viennent faire les provisions pour la journée. Suivant
10 les besoins,[12] on peut acheter aux Halles deux cents kilos[13] de
bœuf ou deux côtelettes de porc.

Nos deux amis vont d'un étalage à l'autre, regardant des
poissons inconnus,[14] des crabes, des homards.[15]

— Les marchandes[16] des Halles, particulièrement les ven-
15 deuses de poisson sont fameuses pour la vivacité de leur
caractère et pour la crudité de leur langage, continue Jack.
Aussi longtemps qu'a duré l'ancienne monarchie,[17] elles ont
eu le privilège étrange d'être reçues[18] par le roi de France en
personne. Elles ont joué ainsi un certain rôle historique,
20 notamment au cours de la Révolution française.[19]

Bill s'arrête devant un énorme animal, suspendu par les
pattes, et qui ressemble à la fois[20] à un bison et à un porc.

— Qu'est-ce que c'est que ça? demande-t-il.

— Un sanglier,[21] répond Jack.

---

[3] Construits en fer, *built of iron.*
[4] De tous les côtés, *on all sides.*
[5] Se presse, *mill around.*
[6] S'approvisionner, *to get their provisions.*
[7] Les prix, *the prices.*
[8] Moins élevés, *lower* (lit. *less high).*
[9] Les acheteurs, *the buyers.*

[10] Des bonnes, *maids.*
[11] Des ménagères, *housekeepers.*
[12] Suivant les besoins, *according to your needs.*
[13] A kilo or kilogramme is slightly over two pounds.
[14] Inconnus, *unknown* (to them).
[15] Un homard, *a lobster.* The «h» is aspirate; do not link.

[16] Les marchandes, *the women who run stalls.*

[17] L'ancienne monarchie, *the old monarchy.*

[18] D'être reçues, *of being received.*

[19] La Révolution française, *the French Revolution,* 1789-1799.

The women of Les Halles led the mob to Versailles on Oct. 5th, 1789 to bring the royal family to Paris.

[20] A la fois, *both* (lit. *at the [same] time*).

[21] Un sanglier, *a wild boar.*

— J'ai entendu parler des sangliers, dit Bill, mais c'est la première fois que j'ai l'occasion d'en voir un.[22]

— Il y en a pas mal[23] en Europe, surtout dans les régions des forêts. En automne et en hiver, on en voit assez souvent 5 sur les marchés parisiens.

Vers la fin de la matinée,[24] la foule des acheteurs commence à diminuer et les étalages[25] à disparaître.[26]

— L'après-midi, le quartier des Halles est relativement calme, explique Jack. On nettoie[27] l'intérieur des bâtiments 10 et les rues voisines. Puis tout recommence la nuit suivante,[28] quand arrivent les provisions du lendemain...

— Dites donc, Jack, dit Bill, en regardant les étalages de bœuf, vous n'avez pas faim? En voyant tant de choses à manger, je commence à avoir horriblement faim.

15   — Si vous voulez, répond Jack, nous irons[29] déjeuner dans un des petits restaurants du quartier. L'extérieur n'est pas somptueux, mais la cuisine est presque toujours excellente. Leur clientèle est exigeante.[30] Les gens qui vendent leurs produits aux Halles sont des connaisseurs.[31]

20   — Oui, je sais, dit Bill. Les apparences sont souvent trompeuses et je connais le proverbe: «L'habit ne fait pas le moine.»[32]

---

[22] D'en voir un, *to see one (of them).*

[23] Pas mal, *a good many.*

[24] La matinée, *the morning.* Not to be confused with the English word *matinée.*

[25] Les étalages, *the displays.*

[26] Disparaître, *to disappear.*

[27] On nettoie, *they clean.*

[28] La nuit suivante, *the following night.*

[29] Nous irons, *we'll go.*

[30] Exigeante, *exacting.*

[31] Des connaisseurs, *connoisseurs,* people who know what's what.

[32] L'habit ne fait pas le moine, *the coat does not make the monk,* that is, *"you can not judge a person's character by what he wears."* Compare the English: "Fine feathers do not make the bird."

XI

Les Marchands
des Quatre Saisons

— Ce qui m'étonne toujours, dit Bill à Ann un jour qu'ils se promènent ensemble, c'est le nombre considérable des marchands de toute espèce qu'on trouve dans les rues de Paris. Je ne parle pas bien entendu[2] des magasins, mais des vendeurs de la rue. Une bonne partie du commerce 5 parisien a l'air de se faire autour de petites voitures,[3] le long[4] des trottoirs.

— C'est ce qu'on appelle les marchands des quatre saisons, explique Ann. Jacqueline m'a parlé d'eux. Elle m'a expliqué qu'ils achètent en gros[5] aux Halles et vendent au 10 détail[6] dans les rues. Au printemps, en été, en automne, ils arrivent tous les matins au même endroit, avec leurs voitures chargées des légumes ou des fruits de la saison. En hiver, ils sont moins nombreux, mais ils ne disparaissent[7] jamais tout à fait: au lieu de vendre des asperges[8] ou des 15 cerises,[9] ils vendent des choux,[10] des pommes de terre ou des oranges. Ces petites gens,[11] hommes et femmes, savent admirablement s'adapter aux circonstances.

— Je ne vois pas comment ils peuvent gagner leur vie, continue Bill. Il y a tant de voitures, et la concurrence[12] des 20 magasins, petits et grands, doit[13] être accablante.[14]

— Vous oubliez que Paris est une grande ville, qui

---

[1] Les Marchands des Quatre Saisons: Street Vendors who sell vegetables and fruit throughout the year.
[2] Bien entendu, *of course.*
[3] Autour de petites voitures, *around little push carts.* «Une voiture» is any kind of vehicle— including an automobile.
[4] Le long de, *along.*
[5] En gros, *wholesale.*

[6] Au détail, *retail.*
[7] Disparaissent, *disappear.*
[8] Des asperges, *asparagus.*
[9] Une cerise, *a cherry.*
[10] Un chou, *a cabbage.*
[11] Les petites gens, *people of small means.*
[12] La concurrence, *competition.*
[13] Doit, *must.*
[14] Accablante, *overwhelming, crushing.*

compte[15] plus de trois millions de bouches à nourrir.[16] Et
puis, la vie du Paris populaire[17] est assez souvent une vie de
quartier.

—Que voulez-vous dire, une vie de quartier?

5   —Je veux dire que, même à Paris, une rue commerçante,[18] une petite place où se tient[19] un marché sont souvent
les centres de la vie du quartier. Les marchands des quatre
saisons connaissent les ménagères, sont connus[20] d'elles. Ils
ont tous leur clientèle plus ou moins fixe.[21] Vous ne con-
10 naissez pas la psychologie féminine...

—Vous croyez? dit Bill.

—Les femmes sont partout les mêmes, vous savez. Elles
peuvent passer toute une matinée à aller d'une voiture à
l'autre, tandis qu'elles ne peuvent guère[22] rester deux heures
15 à l'intérieur d'une épicerie. Rien de plus amusant[23] que
d'aller d'un marchand à l'autre, en comparant les produits
et les prix. On rencontre ses amies, on cause, on échange les
dernières nouvelles du quartier. Surtout, on peut marchander,[24] et les femmes adorent marchander. «Soixante-

50

quinze francs ces carottes, M. Dupont! Ce n'est pas raisonnable. — Eh bien, Mme Durand, puisque vous êtes une bonne cliente, je vais vous les laisser[25] à soixante francs.» Et, satisfaite de sa petite victoire, Mme Durand part avec ses carottes... Vous voyez, tous les avantages psychologiques 5 sont du côté des marchands des quatre saisons. Voilà pourquoi leur commerce est si florissant.

A ce moment, Ann et Bill passent devant une vieille femme, assise sur une chaise pliante[26] à côté de sa voiture chargée de fleurs. 10

[15] Qui compte, *which has* (lit. *which counts*).

[16] Bouches à nourrir, *mouths to feed.*

[17] Paris populaire, *Paris of the people.*

[18] Commerçante, *business.*

[19] Où se tient un marché, *where a market is held.*

[20] Sont connus, *are known.*

[21] Fixe, *stable.*

[22] Ne...guère, *scarcely.*

[23] Rien de plus amusant, [*there is*] *nothing more fun.*

[24] Marchander, *to bargain, haggle over prices.*

[25] Je vais vous les laisser, *I am going to let you have them.*

[26] Une chaise pliante, *a folding chair.*

— Monsieur, un petit bouquet de violettes pour votre belle demoiselle? dit la marchande en s'adressant à Bill.

— Voulez-vous des fleurs, Ann?

— Non, merci. Elles sont bien jolies; mais si vous achetez
5 tout ce qu'on vous offre, vous rentrerez chez vous les bras pleins[27] et les poches vides.[28] Je vois venir un Algérien[29] qui va sûrement essayer de vous vendre un tapis[30] ou un portefeuille[31]...

Mais l'Algérien, couvert de ses tapis, s'arrête à la terrasse
10 d'un café.

— Les Parisiens, et surtout les Parisiennes, aiment beaucoup les fleurs, continue Ann. Le premier mai,[32] on vend partout du muguet[33] dans les rues. Ce jour-là, beaucoup de gens mettent un petit bouquet de muguet à leur bouton-
15 nière ou sur leur corsage, car c'est une espèce de porte-bonheur.[34] En été, on vend dans les rues toute sorte de fleurs; en automne, des chrysanthèmes; en hiver, du mimosa ou des œillets qui viennent de la Côte d'Azur.[35] Une fleur, pour les Parisiens, c'est un peu de campagne, d'air frais et
20 de soleil.

Au coin d'une rue, un homme est en train de griller des marrons[36] sur un fourneau à charbon de bois.[37]

— Avez-vous jamais mangé des marrons grillés? demande Ann. Ils sont délicieux. En hiver, les Parisiens mangent des
25 marrons, comme nous mangeons des cacahuètes[38] et du pop-corn en Amérique.

— Vous me dites tant de bien de ces marrons que j'ai envie d'en acheter un sac, dit Bill.

— Allez-y,[39] répond Ann.
30 Bill achète ses marrons, les trouve délicieux, et, tout en mangeant leurs marrons, Ann et lui continuent leur promenade.

«*En train de griller des marrons sur un fourneau à charbon de bois*...»

²⁷ Les bras pleins, *with your arms full.*

²⁸ Les poches vides, *with empty pockets.*

²⁹ Un Algérien, *an Algerian.* The Algerian rug peddler is a typical figure of Paris streets.

³⁰ Un tapis, *a rug.*

³¹ Un portefeuille, *a wallet.*

³² Le premier mai, *the first of May.* The first of a month is «le premier,» but other days are «le deux,» «le trois,» etc.

³³ Du muguet, *lilies of the valley.* This is a collective word.

³⁴ Un porte-bonheur, *bringer of good-luck.*

³⁵ La Côte d'Azur, *the Azure coast* or *the French Riviera* (on the Mediterranean).

³⁶ En train de griller des marrons, *busy roasting chestnuts.*

³⁷ Un fourneau à charbon de bois, *a charcoal roaster.*

³⁸ Des cacahuètes, *peanuts.*

³⁹ Allez-y, *go ahead* (lit. *go there*).

XII

Considérations sur la Bicyclette

— Il y a presque autant de bicyclettes en France que d'automobiles aux Etats-Unis, dit Bill, un après-midi qu'il fait avec les Brégand une excursion en auto dans les environs de Paris. Prêtres,[1] femmes, vieillards,[2] tout le monde
5 va à bicyclette. La bicyclette a l'air d'être votre sport national.

— Pour beaucoup de mes compatriotes, répond M. Brégand, la bicyclette est moins un sport qu'une nécessité.

54

L'auto employée seulement pour le plaisir est ici un luxe coûteux.[3] Sans compter le prix d'achat, l'essence coûte cher, beaucoup plus cher qu'aux Etats-Unis, où vous avez des puits de pétrole[4] en quantité. On a trouvé quelques puits de pétrole en France, mais presque toute l'essence employée 5 ici est importée de pays lointains,[5] du Proche-Orient,[6] de l'Océanie, de l'Amérique. Cela en augmente le prix, bien entendu. Par conséquent, l'automobile est utilisée surtout par les commerçants, par les gens qui en ont besoin pour leurs affaires, ou par ceux,[7] comme moi, qui ont la chance 10 d'être employés dans une usine d'automobiles, ajoute en souriant M. Brégand.

— Je sais que la bicyclette est pratique et économique, dit Bill. Mais c'est un moyen de transport plutôt fatigant, n'est-ce pas?   15

— Pas autant[8] qu'il paraît, répond M. Brégand. Avec un peu d'habitude[9] on peut couvrir des distances assez considérables sans trop de fatigue. D'ailleurs, les bicyclettes françaises sont légères.

— Cependant, les gens ont l'air de transporter toute sorte 20 de choses sur leur bicyclette, leurs enfants sur des sièges,[10] leurs provisions dans des paniers placés à l'avant ou à l'arrière de leurs véhicules.

— Quand la charge est trop dangereuse pour l'équilibre d'une bicyclette, on se sert d'un tricycle.   25

---

[1] Prêtres, *priests.* Note the omission of the definite article in lists.

[2] Vieillards, *old men.*

[3] Un luxe coûteux, *an expensive luxury.*

[4] Un puits de pétrole, *an oil well.*

[5] Pays lontain, *distant country.*

[6] Le Proche-Orient, *the Near East.*

[7] Ceux, *those.*

[8] Pas autant, *not so much.*

[9] Avec un peu d'habitude, *with a little practice.*

[10] Un siège, *a seat.*

— Je trouve toujours amusant de voir un garçon boulanger[11] qui livre les pains contenus[12] dans une caisse[13]
montée sur son tricycle, ou un père de famille qui promène[14]
sa petite fille dans un sidecar attaché au côté de sa bicy-
5 clette.

    — Regardez cet homme et cette femme sur un tandem,
dit Mme Brégand. L'harmonie parfaite avec laquelle ils
pédalent n'est-elle pas un symbole de ce que doit être[15]
l'union conjugale?

10   — Oui, répond M. Brégand. Tu ne penses pas, bien entendu, aux querelles qui ne peuvent manquer d'avoir lieu
lorsque l'un d'eux trouve que l'autre ne fait pas son
devoir...

    A ce moment, l'auto des Brégand dépasse un groupe de
15 cyclistes qui se suivent[16] à la file indienne sur une piste[17] au
bord de la route. Beaucoup portent un sac sur le dos et tous
paraissent équipés pour un long voyage.

    — Voilà quelque chose qu'on ne voit guère aux Etats-
Unis, le tourisme à bicyclette, explique M. Brégand. Surtout
20 pendant l'été, des groupes de jeunes Français et de jeunes
gens de tous les pays de l'Europe occidentale visitent la
France. Certains endroits leur sont réservés[18] dans le voisinage de presque toutes les villes: ils trouvent là l'eau courante et peuvent dresser leurs tentes. En outre,[19] un peu
25 partout existent des Auberges de la Jeunesse,[20] souvent de
vieilles maisons qui ont été réparées et aménagées.[21] Moyennant[22] une somme très modique,[23] les visiteurs préparent leurs
repas et passent la nuit dans ces auberges. Le soir, autour
du foyer, ils chantent des chansons dans toutes les langues.
30 Le camping, sous une forme ou sous une autre, est très
populaire parmi les jeunes gens.

    — Je suis surpris d'apprendre que le tourisme est aussi

répandu en France qu'aux Etats-Unis, dit Bill. Je croyais qu'un touriste était presque par définition un Américain.

— Pas nécessairement, répond M. Brégand. Chaque année, beaucoup de Parisiens passent leurs vacances soit[24] au bord de la mer soit à la campagne. Les familles qui n'ont 5 pas d'auto y vont par le train, et la plupart[25] du temps elles emmènent leurs bicyclettes, qui leur permettront[26] de faire des excursions dans la région.

— C'est une excellente idée, dit Bill. Quand je ferai[27] un voyage en province,[28] j'achèterai une bicyclette, et je 10 pédalerai, comme les autres, le long des jolies routes de France.

[11] Un garçon boulanger, *a baker's delivery boy.*

[12] Contenus, [*which are*] *held.*

[13] Une caisse, *a box* or *crate.*

[14] Promène, *ride.* Note that «promener» is a transitive verb, but that «se promener» is intransitive.

[15] Ce que doit être, *what...should be.* Note the inversion of the subject and verb.

[16] Se suivent, *follow each other.*

[17] Une piste, *a bicycle path.* Such paths are frequently found near the cities where traffic is heavy.

[18] Leur sont réservés, *are reserved for them.*

[19] En outre, *besides.*

[20] Des Auberges de la Jeunesse, *Youth Hostels* (lit. *Inns of the youth*).

[21] Aménagées, *put in order.*

[22] Moyennant, *by paying, in consideration of.*

[23] Modique, *modest, trifling.*

[24] Soit...soit, *either...or.*

[25] La plupart, *most.*

[26] Permettront, *will make it possible* (lit. *will permit*).

[27] Je ferai, *I make* or *take.* Note this use of the future tense in French where the present tense is used in English.

[28] En province: in the parts of France other than the region around Paris.

XIII

Le Tour de France

—La popularité de la bicyclette, continue M. Brégand, explique celle[2] des courses cyclistes[3] et en particulier celle du Tour de France. C'est sans doute ici le grand événement sportif de l'année, quelque chose comme votre World Series
5 de baseball aux Etats-Unis.

—J'ai entendu parler du Tour de France. Qu'est-ce que c'est exactement?

—C'est une course à bicyclette qui a lieu tous les ans, en été, et à laquelle participent des coureurs[4] professionnels
10 des pays de l'Europe occidentale. Généralement, outre les Français bien entendu, la Belgique, la Hollande, l'Espagne, l'Italie, la Suisse, le Luxembourg et l'Autriche envoient des équipes.[5] L'honneur national est ainsi en jeu,[6] pas trop, vous comprenez, juste assez pour rendre la course plus intéres-
15 sante.

—Quel est au juste le parcours[7] de la course?

—Le nom l'indique assez bien: c'est le tour de France. D'ordinaire, elle commence et finit à Paris, suit à peu près[8] le contour de la France et traverse presque toutes les villes
20 importantes. Le long de la route, les gens de la campagne

---

[1] Le Tour de France, *the Trip around France,* a famous annual bicycle race.

[2] Celle, *that* (= *the popularity*).

[3] Une course cycliste, *a bicycle race.*

[4] Un coureur, *a racer* (lit. *a runner*).

[5] Une équipe, *a team.*

[6] En jeu, *at stake.*

[7] Le parcours, *the route.*

[8] A peu près, *approximately.*

FRENCH EMBASSY PID

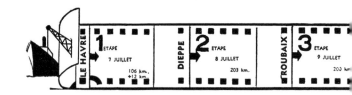

Le filon du 42me
TOUR DE FRANCE

1 9 5 5

22 ÉTAPES
4.320 kms

DU 7 AU 30
JUILLET

MM MADRAZO
COPYRIGHT PRESSE-SERVICES

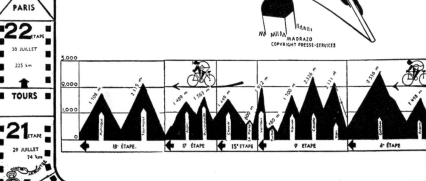

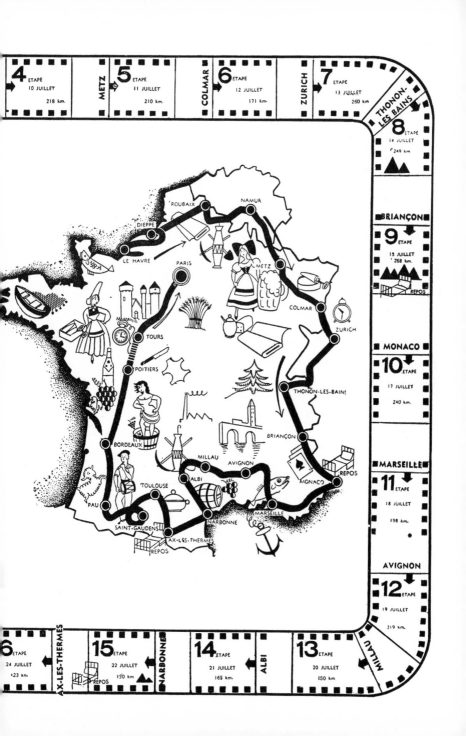

eux-mêmes viennent attendre le passage des coureurs. Les spectateurs sont particulièrement nombreux aux endroits difficiles, là où il y a par exemple une côte longue et raide[9] qui met à l'épreuve[10] l'endurance des coureurs, ou bien une
5 descente rapide, aux tournants dangereux, très favorables aux chutes[11] multiples. On dit que chaque année 30 millions de Français, c'est-à-dire les trois quarts de la population, ont ainsi l'occasion de voir passer le Tour de France.

— Est-ce que le Tour de France passe dans la région des
10 Pyrénées et des Alpes? demande Bill.

— Certainement, répond M. Brégand. Les étapes[12] de montagne sont même les plus intéressantes, car c'est là souvent que la course se décide.

— Combien d'étapes y a-t-il en tout?

15   — Une vingtaine, avec une journée de repos entre chacune d'elles. Les plus longues sont dans les régions de plaine — l'étape Angers-Bordeaux, par exemple, est d'environ 350 kilomètres. Il s'agit alors[13] d'une course de vitesse, où parfois les coureurs maintiennent une moyenne[14] de 40 kilomètres
20 à l'heure[15] sur une distance de 200 kilomètres. Ce n'est pas mal, n'est-ce pas?

— Assurément pas.

— Dans les régions montagneuses, les étapes sont plus courtes mais plus pénibles,[16] des montées[17] interminables le
25 long de routes en lacet,[18] suivies de descentes vertigineuses.[19] Dans les Pyrénées, dans les Alpes, beaucoup de coureurs, épuisés, abandonnent la course.

— Mais qu'est-ce qui les décide à tenter l'aventure?[20]

— Tout d'abord, l'amour du sport, l'ambition d'être le
30 gagnant[21] du Tour de France, le désir de porter, même un seul jour, le fameux maillot[22] jaune.

— Le maillot jaune?

—Mais oui, explique Jacqueline; celui qui, à la fin de chaque étape, est en tête de la course,[23] a le privilège de porter un maillot jaune qui l'attire à l'attention de tous. Evidemment, le maillot change plusieurs fois de mains, ou plutôt de dos,[24] pendant la course. 5

—Et puis, à côté des avantages honorifiques, continue M. Brégand, le Tour de France offre aux participants des avantages financiers qui sont loin d'être[25] négligeables. Le gagnant reçoit quelque chose comme 2 millions de francs, plus les profits, petits et grands, de la publicité.[26] Des entre- 10 prises industrielles et commerciales offrent toute sorte de prix, au coureur le plus combatif, à celui qui se distingue par une déveine[27] persistante, au meilleur grimpeur,[28] c'est-à-dire au premier à atteindre un certain sommet.

—Je croyais que la publicité était une spécialité améri- 15 caine...

—Hélas non, répond M. Brégand. Le Tour de France est envahi[29] par la réclame,[30] et les coureurs sont presque

[9] Une côte longue et raide, *a long and steep slope.*
[10] Met à l'épreuve, *puts to the test.*
[11] Favorables aux chutes, *where spills are likely* (lit. *favorable to falls*).
[12] Une étape, *a stage* (of a trip).
[13] Il s'agit alors, *THEN it is a question.*
[14] Une moyenne, *an average.*
[15] A l'heure, *per hour.*
[16] Pénible, *difficult.*
[17] Une montée, *a climb.*
[18] Une route en lacet: a mountain road with numerous switch-backs (lit. *like a shoe-lace*).

[19] Vertigineux, *very steep.*
[20] Tenter l'aventure, *try their luck.*
[21] Le gagnant, *the winner.*
[22] Un maillot, *a jersey.*
[23] En tête de la course, *is in the lead* (lit. *at the head of the race*).
[24] Ou plutôt de dos, *or rather [it changes] backs.*
[25] Loin d'être..., *far from being...*
[26] La publicité, *advertising, publicity.*
[27] Une déveine, *bad luck.*
[28] Un grimpeur, *a climber.*
[29] Envahi, *invaded.*
[30] La réclame, *advertising.*

« *Les gens de la campagne eux-mêmes viennent
attendre le passage des coureurs.* »

perdus au milieu d'une nuée[31] d'autos qui célèbrent l'excellence de divers produits, depuis[32] les cuisinières[33] électriques
jusqu'au bubble gum et au coca-cola américains. Naturellement, tout cela fait beaucoup de bruit et beaucoup de
poussière.[34]   5
    — Je suis vraiment charmé de retrouver nos produits
familiers dans le Tour de France!
    — Votre pays n'est pas le seul coupable, je vous l'assure.[35]
La France a sa part de responsabilité. Et récemment, des
maisons[36] italiennes ont essayé de faire de la réclame pour 10
leurs produits sur le maillot des coureurs de l'équipe ita-
lienne. Le directeur général du Tour a répondu que
l'espace offert[37] par le dos et par la poitrine des coureurs
était réservé aux maisons qui fabriquent bicyclettes et acces-
soires. Résultat:[38] les Italiens ont refusé de prendre part au 15
Tour de France; et tout le monde sait que sans les Italiens,
dont l'équipe est généralement excellente, le Tour de France
n'est pas vraiment le Tour de France.
    — Père, interrompt Jacqueline, tu donnes l'impression
que le Tour de France est une entreprise de publicité. Après 20
tout, une course cycliste de 5.000 kilomètres reste[39] un événement sportif de tout premier ordre.[40]
    — 5.000 kilomètres! s'écrie Bill. C'est à peu près la dis-
tance de New-York à San-Francisco! Vraiment, j'ai une
grande admiration pour le porteur du maillot jaune!   25

---

[31] Une nuée, *a great crowd* (lit.
   cloud).
[32] Depuis...jusqu'à, *from...to.*
[33] Une cuisinière, *a kitchen range.*
[34] La poussière, *dust.*
[35] Je vous l'assure, *I assure you* [*of
   it.*]

[36] Une maison, *a firm.*
[37] Offert, *provided* (lit. *offered*).
[38] Résultat, *result.*
[39] Reste, *remains* or *is still.*
[40] De tout premier order, *of the
   very first order* [*of great importance*].

XIV

Le Bachot

A la file indienne, une ligne interminable de jeunes gens monte le Boulevard Saint-Michel.[2] Beaucoup d'entre eux portent un béret et, malgré leur jeune âge, tiennent une canne à la main. Quelques jeunes filles les accompagnent.
5 Ils chantent en chœur un air rythmique, dont Bill ne comprend pas les paroles.

—Qu'est-ce que c'est que ça? demande-t-il à Raymond, qui descend le boulevard avec lui, une manifestation communiste?

10 —Non, vous n'y êtes pas du tout.[3] Lorsque les communistes manifestent, c'est d'une façon massive, en occupant toute la rue. Il s'agit simplement ici d'un monôme[4] d'étudiants. Comme nous sommes au mois d'octobre et que les cours n'ont pas encore commencé à l'Université, ce sont sans
15 doute des candidats au bachot, en train de passer leurs examens à la Sorbonne.

—Quel est l'objet de cette démonstration?

[1] Le bachot: nickname of the baccalaureate degree, which is roughly the equivalent of the first two years of college work in this country.

[2] Le Boulevard Saint-Michel: the principal thoroughfare of the Latin Quarter, running north and south.

[3] Vous n'y êtes pas du tout: compare p. 39, note 4.

[4] Un monôme: a student manifestation resembling somewhat our "snake dance."

A DROITE: *La cour intérieure de la Sorbonne, entourée de vénérables bâtiments aux pierres grises.*

— Je n'en sais rien. Le monôme est une vieille tradition chez les étudiants. D'ordinaire, ils organisent un monôme pour protester contre quelque chose, contre des questions d'examen trop difficiles, par exemple; mais c'est surtout
5 pour faire du bruit, du chahut,[5] comme ils disent. Vous connaissez le proverbe: il faut que jeunesse se passe[6]...

— Ils ont l'air tout jeune, en effet. Quel est l'âge moyen[7] des candidats au baccalauréat?

— De seize à dix-huit ans. L'examen comprend deux par-
10 ties qui se passent[8] à un an d'intervalle, à la fin des deux dernières années de lycée. Comme vous le savez sans doute, le baccalauréat est requis[9] pour l'admission à l'Université et aux Grandes Ecoles.[10]

— J'ai entendu dire que l'examen est assez difficile.
15 — Oui, surtout si on considère l'âge des candidats. La proportion de ceux qui réussissent[11] ne dépasse guère cinquante pour cent.

— Que deviennent[12] les autres?

— Ils recommencent.[13] Il y a deux sessions d'examens par
20 an, l'une au mois de juin, l'autre au mois d'octobre, pour ceux qui n'ont pas réussi la première fois.

— Quoi! tout ce monôme est composé de candidats refusés en juin?

— Hélas, oui...
25 — L'examen doit être terrible.

— Oui. Il y a un examen écrit et un examen oral. L'examen écrit dure toute la journée et porte sur[14] quelques sujets seulement, composition française, mathématiques, langues vivantes ou mortes, par exemple. Je me rappelle
30 encore le sujet de ma dissertation pour la seconde partie du baccalauréat: «Que faut-il entendre par le matérialisme?» On m'a donné quatre heures pour l'expliquer.

— A dix-sept ans?

— Mais oui.

— En France, on commence à discuter de bonne heure les grands problèmes de l'existence.

— Je crois que des examens oraux du baccalauréat ont 5 lieu[15] en ce moment, continue Raymond. Nous pouvons y assister,[16] si cela vous intéresse. Ces examens sont ouverts au public et l'entrée est gratuite.

— Volontiers, répond Bill. Je suis curieux de voir comment les choses se passent.[17]   10

Ils entrent dans la cour intérieure de la Sorbonne, entourée de vénérables bâtiments aux pierres grises. Çà et là,[18] quelques groupes de jeunes gens, l'air sérieux et préoccupé, parlent sobrement, presque à voix basse. «Ils sont beaucoup plus tranquilles que les candidats du monôme,» 15 remarque Bill.

Nos deux amis entrent dans un vaste amphithéâtre où l'on a mis quelques tables. Un examinateur est assis à chacune d'elles, et les candidats vont d'une table à l'autre,

---

[5] Le chahut: noise made by students with the intention of annoying the authorities—*uproar, row.*

[6] Il faut que jeunesse se passe, *they have to get it out of their system* (lit. *it is necessary that youth be gone through*).

[7] L'âge moyen, *the average age.*

[8] Se passent, *are taken.*

[9] Est requis, *is required.*

[10] Aux Grandes Ecoles: the leading schools, technical and professional.

[11] Qui réussissent, *who succeed, who pass.*

[12] Que deviennent..., *what happens to, what becomes of...*

[13] Ils recommencent, *they start over, they try again.*

[14] Porte sur, *deals with, bears upon.*

[15] Ont lieu, *are taking place.*

[16] Y assister, *be present at them, go to them.*

[17] Se passent, *are done* (lit. *take place*).

[18] Çà et là, *here and there.*

*Entrée de
la Sorbonne*

RAPHO-GUILLUMETTE

passant du latin à l'histoire, de l'histoire à l'anglais, et ainsi
de suite.

   Debout devant un tableau noir couvert de lettres et de
triangles, une jeune fille démontre un théorème. Elle paraît
5 très forte[19] en géométrie. «Elle va se tirer d'affaire[20] sans
difficulté,» dit tout bas Raymond.

   Ce n'est malheureusement pas le cas pour un grand jeune
homme qui, à la table voisine, est en train de passer son
examen de littérature française. Il s'agit du *Cid* de Cor-
10 neille,[21] et le professeur veut[22] absolument savoir quels
sont les éléments épiques dans le récit de Rodrigue au quatrième acte. Sur ce sujet, les idées du candidat sont assez
vagues; mais il donne tout de même de longues explications,
dans lesquelles il s'embarrasse de plus en plus. L'examina-
15 teur l'écoute, impassible. A la fin, il lui déclare: «Non,
monsieur, je regrette beaucoup. Ce n'est pas cela du tout.»

----

[19] Fort(e), *able* (lit. *strong*).
[20] Se tirer d'affaire, *get along all
   right* (lit. *pull herself out of it*).
[21] *Le Cid* de Corneille: one of the
   classical plays which every

French student is supposed to
know thoroughly. *(Pierre Corneille: 1606-1684.)*
[22] Veut absolument, *insists upon*
(lit. *wants absolutely*).

L'examen terminé,[23] Bill et Raymond quittent l'amphithéâtre. Dans la cour, Bill ne cache pas son indignation:

— Mais c'est horrible, dit-il, et tout à fait injuste. Le
sort[24] du candidat est abandonné au hasard d'une question.

— Ce n'est pas tout à fait cela, répond son ami. Il y a 5
toute une série d'interrogations, vous voyez, et une bonne
note[25] dans un certain sujet compense[26] une mauvaise note
dans un autre. Chaque interrogation est notée[27] sévèrement.
Mais si un candidat est vraiment capable,[28] il peut être reçu[29]
malgré une mauvaise note en français ou en mathématiques. 10

— Vous êtes peut-être optimiste... Et quand les candidats connaîtront-ils[30] le résultat des examens? Est-ce qu'on
les laisse dans l'angoisse[31] pendant une semaine ou deux?

— Pas du tout. Les résultats seront affichés[32] dans quelques minutes. Si vous voulez, nous pouvons attendre.   15

— Non, j'en ai vu assez. Je n'ai pas le courage de regarder les candidats malheureux. Et pensez aux pauvres
parents, au père mécontent de son fils indigne,[33] à la mère
qui plaide la cause de l'enfant prodigue...

— Consolez-vous. On pense sérieusement à supprimer 20
les examens du baccalauréat, tels qu'ils existent à l'heure
actuelle.[34]

Sur ces mots, Bill et Raymond quittent la Sorbonne.

[23] L'examen terminé, [when] the examination [is] over.
[24] Le sort, the fate.
[25] Une bonne note, a good grade, a good mark.
[26] Compense, makes up for, compensates for.
[27] Est notée, is graded.
[28] Capable, really able. Not just "capable."
[29] Il peut être reçu, he can pass (lit. he may be received).
[30] Connaîtront-ils, will they know, or learn.
[31] L'angoisse, anguish.
[32] Affichés, posted.
[33] Indigne, unworthy.
[34] Tels qu'ils existent à l'heure actuelle, as they now are (lit. such as they are at the present time).

«*Entrons dans ce magasin. Je voudrais voir ce
qu'on donne aux enfants le jour de Noël.*»

XV

Noël en France

C'est aujourd'hui le 15 décembre. Depuis plusieurs heures il tombe une pluie froide, avec quelques flocons de neige. En sortant de la Comédie-Française,[1] Jacqueline et Bill ont cherché refuge sous les arcades de la rue de Rivoli,[2] où il y a beaucoup d'enfants venus avec leurs parents re- 5 garder les devantures des magasins. En cette saison, les jours sont si courts que la nuit commence à tomber à quatre heures de l'après-midi. Les devantures sont brillamment illuminées.

Tout en marchant, Jacqueline et Bill jettent un coup 10 d'œil sur les étalages.[3]

— Je pourrais[4] me croire aux Etats-Unis, dit Bill. Toute cette jolie décoration de Noël est presque la même que chez nous, et cela me fait plaisir de retrouver ici nos couleurs traditionnelles — le rouge et le vert, les branches de houx,[5] 15 la neige artificielle.

— Est-ce que par hasard vous avez la nostalgie de l'Amérique, le mal du pays,[6] comme on dit? demande Jacqueline.

— Pas exactement, répond Bill. Vous savez que chez nous Noël est la plus grande fête de l'année. Il est tout naturel 20

---

[1] La Comédie-Française: the great national repertory theatre which, along with the Opéra and the Opéra-Comique, is supported by the government.

[2] Les arcades de la rue de Rivoli: for several blocks the arcades along this street protect the win-

dow shoppers from inclement weather.

[3] Les étalages, *the displays, show windows.*

[4] Je pourrais, *I might* (1st person conditional of «pouvoir»).

[5] Le houx, *holly.*

[6] Le mal du pays, *homesickness.*

Décoration de Noël dans un grand magasin.

que je pense à mon pays et à ma famille. C'est le premier Noël que je vais passer loin de mes parents et de mes camarades.

— Je ne vous croyais pas si sentimental, dit Jacqueline.
5 Je sais que vous êtes un bon Américain et un bon fils; mais vous n'êtes pas perdu[7] à Paris. Regardez cette devanture: voilà un wigwam indien à l'usage des petits Français et là-bas, dans le coin, un groupe de Peaux-Rouges, vos compatriotes.

10 — Je ne savais pas que nos Indiens d'Amérique étaient si populaires ici.

— Je me souviens que, lorsque j'étais petite, j'aimais beaucoup les Peaux-Rouges, dit Jacqueline. Depuis des générations, avec leurs collègues les cow-boys du Far-West, ils font
15 la joie des enfants européens.

— Mais pourquoi ont-ils tant de succès dans votre pays?

FRENCH EMBASSY PID

— C'est qu'ils ont tout pour plaire aux[8] enfants de tous les temps et de tous les pays: leur bravoure,[9] leur cruauté même...

— Entrons dans ce magasin, dit Bill. Je voudrais voir ce qu'on donne aux enfants le jour de Noël.   5

— Volontiers, répond Jacqueline. En cette saison de l'année, j'adore parcourir le rayon[10] des jouets et voir le visage radieux des enfants.

Nos amis entrent donc[11] dans le Grand Magasin du Louvre,[12] où se presse une foule considérable. Voici d'admi- 10

[7] Perdu, *isolated* (lit. *lost*).

[8] Plaire aux enfants, *please the children.*

[9] La bravoure, *daring.*

[10] La rayon des jouets, *the toy department* (lit. *the shelf of toys*).

[11] Donc, *therefore.*

[12] As it is just across the street from the Louvre, this store adopted the name of the famous Royal Palace. «Grand Magasin» means *department store.*

75

rables petites figures de plomb,[13] qui représentent en vives couleurs des chevaliers[14] de la Table-Ronde et des soldats de Napoléon. A côté, il y a des jouets plus modernes: trains électriques, scooters, automobiles de toutes les marques[15] et
5 de toutes les couleurs, même un canon atomique garanti «absolument inoffensif.» Jacqueline s'attarde[16] devant des poupées[17] italiennes, hollandaises, alsaciennes, vêtues de leur costume traditionnel. Bill regarde un Père Noël français.

—Le Père Noël est un peu différent de notre Santa
10 Claus, remarque-t-il. Il est, comme lui, jovial, vêtu de rouge, et il porte une longue barbe. Mais qu'est-ce que c'est que ce panier[18] qu'il a sur le dos?

—C'est une hotte,[19] répond Jacqueline. Il trouve sans doute plus commode de porter ainsi les jouets dont il est
15 chargé. Votre Santa Claus voyage sur un traîneau[20] tiré par des rennes, n'est-ce pas? Notre Père Noël est plus lent: il voyage tranquillement monté sur un petit âne.[21] Il trouve tout de même moyen[22] de descendre dans les cheminées pendant la nuit de Noël. Vous savez qu'en France les enfants
20 laissent leurs souliers[23] devant la cheminée[24] et qu'il les remplit de bonbons et de fruits. Ce que vous ne savez peut-être pas, c'est que beaucoup d'entre eux ont soin de placer, à côté de leurs souliers, une carotte pour l'âne du Père Noël. A leur réveil,[25] la carotte a disparu. Quelquefois, si l'âne
25 n'a pas grand'faim, il n'en mange qu'un morceau.

—Est-ce qu'on a aussi un arbre de Noël dans les familles françaises? demande Bill.

—C'est une vieille tradition germanique qui existe de-puis longtemps dans les provinces françaises voisines de
30 l'Allemagne. Depuis quelques années surtout, l'habitude d'avoir dans les maisons un arbre de Noël se répand[26] dans

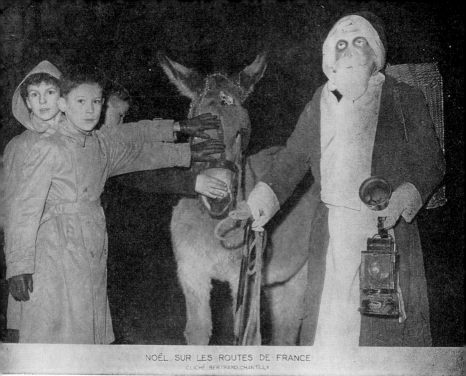

Le Père Noël et son petit âne.

toute la France. Mais une coutume plus particulièrement française est celle de la crèche.[27]

— Je crois en avoir entendu parler. Qu'est-ce que c'est exactement qu'une crèche?

[13] Une figure de plomb, *tin soldier* (lit. *a figure of lead*).
[14] Un chevalier, *a knight.*
[15] Une marque, *a make.*
[16] S'attarde, *pauses, lingers.*
[17] Une poupée, *a doll.*
[18] Un panier, *a basket.*
[19] Une hotte: a basket woven to be strapped on a person's back.
[20] Un traîneau, *a sleigh.*

[21] Un âne, *a donkey.*
[22] Il trouve...moyen, *he manages* (lit. *finds...[a] way*).
[23] Un soulier, *a shoe.*
[24] Devant la cheminée, *by the fireplace.*
[25] A leur réveil, *when they waken* (lit. *at their awakening*).
[26] Se répand, *is spreading.*
[27] La crèche, *the Nativity scene.*

77

Crèche à l'intérieur de Notre-Dame.

— C'est une représentation, à l'aide[28] de petits personnages et d'un décor approprié, de la scène de la Nativité.
Dans une grange[29] ouverte à tous les vents, l'Enfant Jésus,
couché sur la paille,[30] est entouré d'un groupe composé de
5 Marie, de Joseph, de bergers avec leurs moutons, d'un âne,
d'un bœuf. Au-dessus de la scène, des anges sont suspendus
par des fils.[31] C'est charmant... Avez-vous entendu parler
des santons[32] de Provence?[33]

— Non, je confesse mon ignorance.

10 — Ce sont des figures d'argile peintes,[34] représentant les
métiers[35] d'autrefois, le forgeron,[36] la marchande de poisson,
le ramoneur de cheminées.[37] Il y en a parfois cinquante ou
soixante, tous venus adorer l'Enfant Jésus. Ces petits personnages sont d'un réalisme très curieux.

15 — Avez-vous aussi la tradition de la Bûche de Noël?

— Pas à Paris. Mais lorsque j'étais enfant, nous allions
tous les ans passer les vacances de Noël chez ma grand-mère
à la campagne. La veille[38] de Noël on mettait dans la
grande cheminée une énorme bûche qui brûlait deux ou
trois jours. A Paris, on a plutôt l'habitude de servir comme 5
dessert un gâteau en forme de bûche qu'on appelle, bien
entendu, une bûche de Noël. Vous en verrez[39] chez tous
les pâtissiers.

— Ce qui m'intrigue, observe Bill, c'est la relation qui
semble exister partout entre la fête de Noël et le feu, la 10
lumière. La cheminée, la bûche de Noël, les lumières sur
les arbres, tout cela reprend au fond le même thème.

— Les savants disent qu'il s'agit là d'une tradition si
ancienne qu'elle se perd[40] «dans la nuit des temps,» explique
Jacqueline. Les fêtes de fin d'année,[41] qui suivent le solstice 15
d'hiver, exprimaient, paraît-il, la joie de nos lointains[42] ancêtres au retour prochain[43] de la chaleur et de la lumière.
Il n'y avait pas de chauffage central dans les cavernes. On
dit qu'à l'origine, c'étaient des fêtes en l'honneur du soleil.[44]

[28] A l'aide, *by means of* (lit. *with the help*).
[29] Une grange, *a barn*.
[30] La paille, *the straw*.
[31] Un fil, *a string*. The «s» of the plural is of course silent.
[32] Un santon: figurine of Nativity scene (In *Provençal*, the word means *a little saint*).
[33] Provence: one of the old provinces which is called *Provence*.
[34] Des figures d'argile peintes, *painted clay figures*. «Peintes» of course agrees with «figures.»
[35] Un métier, *a trade, occupation*.
[36] Le forgeron, *the blacksmith*.
[37] Le ramoneur de cheminées, *the chimney sweep*.
[38] La veille, *the day* (or *night*) *before...*
[39] Vous...verrez, *You'll see* (future of «voir»).
[40] Se perd, *is lost*.
[41] De fin d'année, *year's end*.
[42] Lointains, *far-off — in time* or *in space*.
[43] Prochain, *approaching*. The word often means *next*.
[44] En l'honneur du soleil, *in honor of the sun*.

— Je me rappelle vaguement qu'un de mes professeurs en Amérique a parlé de tout ça, dit Bill... J'ai entendu dire qu'en France, le jour de l'An[45] est une plus grande fête que le jour de Noël, que les cadeaux considérables sont réservés
5 pour ce jour-là.

— Oui, dit Jacqueline. Dans la plupart des familles françaises, c'est à leur réveil, le matin du premier janvier, que les enfants trouvent leurs cadeaux les plus magnifiques. Le jour de Noël, on leur donne surtout des bonbons. Cepen-
10 dant notre grande nuit de réjouissance, la nuit du réveillon,[46] est celle du 24 au 25 décembre. A propos, si vous n'avez pas d'autre projet, voulez-vous faire avec nous le réveillon chez les Delessert? Ma tante Françoise réunit la famille tous les ans pour cette fête. Ann Tilden va venir.
15 — Très volontiers. Je serai bien content de voir un réveillon traditionnel.

— Bon. Nous irons à la messe de minuit à la Madeleine,[47] où la musique est de toute beauté et puis, après, nous irons faire le réveillon chez les Delessert. Le menu traditionnel
20 de la famille comprend des huîtres, un jambon, une oie et toute sorte de pâtisseries, y compris une belle bûche de Noël, naturellement.

— Pas de champagne?

— Si, si! Il y en aura — et du meilleur.
25 — Rien que d'y penser,[48] je commence à avoir faim...

---

[45] Le jour de l'An, *New Year's Day.*
[46] Le réveillon: midnight supper on Christmas Eve.
[47] La Madeleine: a handsome church in the style of a Greek temple on the Grands Boulevards.
[48] Rien que d'y penser, *just to think of it...*

XVI

L'Industrie Automobile

GIRAUDON

—Combien d'automobiles produisez-vous? demande Bill
à M. Brégand, un jour qu'il visite avec lui les usines Renault
à Billancourt.[1]

—Si vous parlez seulement des voitures de tourisme,
notre production actuelle est d'environ 10.000 par mois. 5
C'est un chiffre honorable,[2] certes, mais pas énorme, com-
paré à votre production américaine de Ford ou de General
Motors. Aux Etats-Unis, vous avez un marché que nous ne
possédons pas ici. Notre grand problème n'est pas un problème de production, qu'il est toujours possible de résoudre[3] 10
par l'amélioration des procédés techniques. C'est avant tout
un problème, infiniment plus difficile à résoudre, de consommation.[4]

—Je ne comprends pas très bien ce que vous voulez dire.

—Il ne s'agit pas seulement de fabriquer des autos, il 15

---

[1] Billancourt: industrial suburb southwest of Paris.
[2] Un chiffre honorable, *a respectable figure.*
[3] Résoudre, *to solve.* Compare English *resolve.*
[4] La consommation, *consumption* (that is "selling").

Exposition Renault, au Salon de l'Automobile.

s'agit de les vendre. Comme je vous le disais[5] l'autre jour, l'auto est ici un luxe hors de la portée[6] de l'immense majorité des gens. Considérez seulement le prix d'achat d'une voiture. Alors qu'il représente chez vous six mois de
5 travail du travailleur moyen,[7] en France, il représente presque dix-huit mois. Comment voulez-vous[8] que, dans ces conditions, l'ouvrier,[9] l'employé,[10] ou le petit cultivateur[11] français achète une auto?

— C'est difficile, en effet. Quelle est la proportion des
10 Français qui possèdent une automobile?

— Environ un sur quatorze.[12] Chez vous, en Amérique, la proportion est un sur trois. Il faut, bien entendu, tenir compte[13] des conditions de vie différentes. Aux Etats-Unis, par exemple, avec vos fermes dispersées dans la campagne et souvent situées à une distance assez considérable, non seulement des fermes voisines, mais aussi du centre urbain le plus proche, l'automobile est pour ainsi dire[14] indispen- 5 sable. C'est, avec le téléphone, le seul moyen[15] de communication avec le monde extérieur que possède[16] le cultivateur américain. Par contre, le cultivateur français demeure le plus souvent dans un village, où il a des voisins et où il trouve ce dont il a besoin[17] dans sa vie quotidienne.[18] S'il 10 veut aller au village voisin, qui la plupart du temps n'est qu'à quelques kilomètres,[19] il a sa bicyclette. S'il veut aller à la ville voisine, il a presque toujours à sa disposition un train ou un autobus. L'automobile est donc moins nécessaire pour lui qu'elle ne l'est[20] pour son confrère américain. Vous voyez 15 en tout cas comment les conditions existantes limitent notre marché.

— Je suppose néanmoins[21] que bon nombre de cultiva-

---

[5] Je vous le disais, *I was telling you* (lit. *telling it to you*).

[6] Hors de la portée, *out of reach.*

[7] Le travailleur moyen, *the average worker.*

[8] Comment voulez-vous...? *How do you expect...?*

[9] L'ouvrier, *the laborer.*

[10] L'employé, *the white-collar worker.*

[11] Le cultivateur, *the farmer.*

[12] Un sur quatorze, *one out of fourteen.*

[13] Tenir compte, *take into account.*

[14] Pour ainsi dire, *so to speak.*

[15] Le moyen de communication, *means of communication.*

[16] Que possède le cultivateur, *which the farmer possesses.* Note inversion of subject and verb. Such inversions are very common (see note 26).

[17] Dont il a besoin, *which he needs* (lit. *of which he has need*).

[18] Quotidien, *daily.*

[19] À quelques kilomètres, *a few kilometers away.*

[20] Moins...qu'elle ne l'est, *less...than it is.* The «l» refers to the word «nécessaire.»

[21] Néanmoins, *nevertheless.*

teurs français seraient[22] heureux d'avoir une auto. N'est-il
pas possible de fabriquer une voiture à leur portée[23] comme[24]
à celle du Français moyen?

— C'est bien ce que nous essayons de faire, comme
5 essayent de le faire,[25] pour leur clientèle respective, nos
concurrents[26] anglais, allemands ou italiens. En Europe, la
voiture idéale est une petite voiture rapide, à bon marché[27]
— disons entre six cent et huit cents dollars — et qui con-
somme très peu d'essence. Notre petite 4CV[28] Renault est
10 une des autos européennes les plus populaires, mais son prix
d'achat — dans[29] les quatorze cents dollars — est encore trop
élevé. La 2 CV de notre confrère Citroën est une excellente
petite machine, qui ne coûte guère que mille dollars. Malheureusement, elle manque de puissance dans les côtes[30] et
15 fait presque autant de bruit qu'une motocyclette.

— Je suis un peu surpris, dit Bill, de vous entendre
parler de votre 4 CV et de la 2 CV Citroën. Aux Etats-Unis,
une voiture ordinaire a une puissance d'au moins cent cinquante chevaux. Je me demande[31] comment une automobile
20 de 2 CV arrive à bouger[32]...

— Elle bouge, je vous l'assure... Tout d'abord, nous ne
comptons pas les chevaux comme vous les comptez. Lorsque
nous parlons de la 2 CV Citroën, il s'agit, pour vous autres
Américains, d'une voiture de 9 chevaux. Ne croyez pas
25 d'ailleurs qu'à cause de leur faible[33] puissance, ces petites
autos françaises ne sont pas capables d'aller très vite. Il
suffit[34] de se trouver le long d'une route, aux environs de
Paris, pour être convaincu du contraire. Comme je vous
le disais tout à l'heure, c'est seulement lorsqu'il s'agit de
30 monter des côtes très raides qu'on remarque le manque[35]
de puissance de nos petites voitures. Il faut avouer aussi
que ces voitures sont légères et qu'elles ne tiennent pas parfaitement la route[36] quand il pleut ou quand il fait du vent.

Chez Renault.

²² Seraient, *would be.*

²³ A leur portée, *within reach.*

²⁴ Comme, *as well as.*

²⁵ Comme essayent de le faire, *as
...are trying to do* (lit. *to do it*).

²⁶ Nos concurrents, *our rivals.* Note
that this noun is the subject of
the preceding verb «essayent.»

²⁷ A bon marché, *cheap* (lit. *at a
good market*).

²⁸ 4 CV: an abbreviation for «quatre chevaux» meaning *4* (French)
H.P.

²⁹ Dans les, *in the neighborhood
of.*

³⁰ Dans les côtes, *on hills.*

³¹ Je me demande, *I wonder* (lit.
I ask myself).

³² Arrive à bouger, *manages to
move (at all).* Compare English
budge.

³³ Faible, *slight, small, weak.* Compare English *feeble.*

³⁴ Il suffit de..., *all you have to
do is to* (lit. *it suffices to...*).

³⁵ Le manque de puissance, *the
lack of power.*

³⁶ Elles ne tiennent pas ... la
route, *they do not stay on* (lit.
hold) the road.

— Certains prétendent[37] que la puissance de nos autos américaines est beaucoup trop grande, dit Bill, que ces voitures sont trop lourdes[38] et qu'il en résulte un gaspillage[39] considérable d'énergie, c'est-à-dire d'essence. Qu'en pensez-5 vous?

— Sur cette question, comme sur bien d'autres, il y a le pour et le contre.[40] Comprenez-moi bien. Je considère notre petite Renault comme une excellente machine, solide, économique, extrêmement manœuvrable. Je vous avoue pourtant 10 que si j'allais, avec ma famille, de Chicago à Los Angeles, je préfèrerais peut-être une de vos Buick ou une de ces Lincoln qui sont si confortables... Vous voyez que je suis impartial.

— Vous savez que depuis quelque temps les voitures 15 européennes, y compris[41] les voitures françaises, deviennent de plus en plus populaires aux Etats-Unis, surtout parmi les jeunes gens, qui en aiment les lignes nouvelles et souvent audacieuses.

— C'est là précisément un des avantages que nous possé-20 dons sur vous, dont l'industrie automobile a tant d'avantages sur la nôtre. Parce que notre production est moindre,[42] parce qu'elle est moins standardisée, nous sommes plus libres d'expérimenter, nous sommes moins prisonniers des habitudes de nos clients. Imaginez par exemple que Ford 25 décide un jour de construire une voiture avec moteur placé à l'arrière, comme il l'est[43] dans plus de la moitié des voi-

---

[37] Certains prétendent, *some people claim.*
[38] Lourd, *heavy.*
[39] Un gaspillage, *a waste.*
[40] Le pour et le contre, *the pros and the cons,* the advantages

and the disadvantages.
[41] Y compris, *including* (lit. *included in it*).
[42] Moindre, *less.*
[43] Comme il l'est, *as it is* (lit. *as it is [placed]*). Compare note 20.

tures que nous produisons dans nos usines. Tout d'abord, à cause même du nombre des autos produites, l'innovation sera très coûteuse. Supposez maintenant que la nouvelle voiture ne gagne pas la faveur du public américain. Les concurrents de Ford en profiteront, et celui-ci[44] pourrait 5 bien[45] regretter son audace... Je me trompe peut-être, mais il me semble qu'en raison même des conditions où elle travaille, l'industrie automobile américaine est obligée d'être plus conservatrice que la nôtre.

—Vous éveillez[46] ma curiosité. J'ai entendu parler d'une 10 grande exposition de l'industrie automobile qui a lieu chaque année à Paris.

—On l'appelle le Salon de l'Automobile. En octobre, il attire au Grand-Palais[47] un nombre immense de visiteurs de presque tous les pays du monde. Ce Salon a eu lieu[48] 15 pour la première fois en 1898, à l'âge héroïque de l'automobile. Pour être admise, une voiture devait avoir accompli,[49] par ses propres moyens,[50] le voyage aller et retour de Paris à Versailles!

—Quelle est au juste la distance[51] entre Paris et Ver- 20 sailles?

—Vingt-cinq kilomètres.

—Oh! L'automobile a fait pas mal de chemin[52] depuis 1898...

---

[44] Celui-ci, *the latter.*
[45] Pourrait bien, *might well.*
[46] Vous éveillez, *you excite.*
[47] Le Grand-Palais: a large structure near the Champs-Elysées where all sorts of expositions are held.
[48] A eu lieu, *took place.*
[49] Devait avoir accompli, *had to have accomplished (completed or made).*
[50] Par ses propres moyens, *under its own power* (lit. *by its own means*).
[51] Quelle est au juste la distance, *just what is the distance.*
[52] A fait pas mal de chemin, *has gone a long way.*

XVII

La Circulation Parisienne

Bill est venu passer la soirée chez les Brégand. Assis auprès du feu qui brûle dans la cheminée, il cause avec ses hôtes. On parle de choses et d'autres.[2] Finalement, la conversation tombe sur un problème d'actualité,[3] celui de la
5 circulation dans les rues de Paris.

—Aux Etats-Unis, dit Bill, j'ai entendu parler de la circulation parisienne comme d'un phénomène unique au monde. Dans son poème symphonique, *An American in Paris,* un de nos compositeurs les plus connus, George
10 Gershwin, l'a évoquée d'une façon amusante, par un tintamarre assourdissant.[4] En Amérique, on croit qu'à Paris il y a des embouteillages[5] perpétuels et des chauffeurs furieux qui s'interpellent[6] constamment dans une langue très pittoresque. Je suis surpris de voir qu'au contraire, dans les
15 rues de Paris, la circulation est ordonnée et calme. Les autos roulent harmonieusement et silencieusement. D'où[7] vient ce changement extraordinaire?

[1] La circulation, *traffic.*
[2] De choses et d'autres, *of one thing and another.*
[3] Un problème d'actualité, *a timely problem.*
[4] Un tintamarre assourdissant, *a deafening uproar.*
[5] Un embouteillage, *a bottle-neck.*
[6] S'interpellent, *shout at each other.*
[7] D'où, *from where, whence.*
[8] Le bon sens traditionnel, *the tra-*

ditional good sense. (If your impression of the French is gleaned from our newspapers, you will be surprised to see that they think of "common sense" as one of their outstanding traditional characteristics.)
[9] Grâce à, *because of.* The expression often means *thanks to.*
[10] On ne s'entend plus, *people can no longer hear* (because of the noise).

Place de la Concorde (Voir p. 135).

—Vous voyez là le résultat des efforts d'un de nos préfets de police, M. André Dubois, répond M. Brégand. Un beau jour, M. Dubois a décidé de faire appel au bon sens traditionnel[8] des Français en général et des Parisiens en particulier. «Grâce à[9] l'automobile,» nous a-t-il expliqué, «la 5 vie à Paris devient de plus en plus difficile. On ne s'entend plus,[10] et la situation est telle que je vois venir le jour où

une masse d'automobiles, incapables de bouger, resteront[11] pour toujours immobiles sur la Place de la Concorde,[12] comme un monument impérissable à la complexité de la vie moderne. Cela ne peut pas durer. Evidemment, je peux
5 dire à mes agents de police de dresser une contravention[13] à tous ceux qui, d'une façon ou de l'autre, contribuent à rendre la circulation difficile. Mais je n'aime pas avoir recours aux mesures coercives. Ne voulez-vous pas faire un effort pour m'aider à résoudre ce problème?»
10   — Et qu'est-ce qui s'est passé?
      — Le résultat a été merveilleux. Du jour au lendemain,[14] le bruit a cessé et Paris est devenu presque silencieux.
      — Oui, interrompt Jacqueline. En faisant appel au bon sens des Parisiens, M. Dubois s'est révélé excellent psycho-
15 logue. Mais combien de temps cela va-t-il durer? Peu à peu, nous allons sans doute revenir à nos anciennes habitudes. Discrètement d'abord, pour ne pas provoquer l'hostilité des agents de police. Un coup de klaxon[15] par ci par là.[16] Mais l'impatience est contagieuse, et, graduellement, tintamarre
20 et embouteillage recommenceront comme auparavant.[17]
      — Tu es bien pessimiste, déclare Mme Brégand. Les Parisiens n'aiment pas qu'on leur ordonne[18] de faire ceci ou de ne pas faire cela. Pourtant, une fois persuadés de l'utilité d'une mesure, ils sont beaucoup plus disciplinés qu'on ne le
25 croit[19] généralement.
      — En réalité, dit M. Brégand, il y a deux problèmes différents. Le tintamarre est gênant;[20] pourtant, le problème qu'il pose est assez facile à résoudre. Le problème de l'embouteillage est beaucoup plus sérieux. Notre capitale est
30 une vieille ville, qui n'a pas été construite pour l'automobile. Le Paris d'autrefois était un labyrinthe de rues étroites[21] et tortueuses.[22] Même au dix-neuvième siècle,

Rue à sens unique.

[11] Resteront, *will remain.*

[12] La Place de la Concorde: a large square towards which traffic converges from several directions. The square is decorated with monumental fountains, sculpture, and a tall Egyptian obelisk.

[13] Dresser une contravention, *give a ticket.*

[14] Du jour au lendemain, *overnight.*

[15] Un coup de klaxon, *a blast of the horn.*

[16] Par ci par là, *here and there.*

[17] Auparavant, *before.*

[18] Ordonne, *order.*

[19] Qu'on ne le croit, *than you think.* The «ne» is meaningless when used after «plus...que.»

[20] Gênant, *disagreeable.*

[21] Etroit, *narrow.*

[22] Tortueux, *crooked.*

quand le célèbre Haussmann[23] a fait aménager[24] de belles places et de larges avenues, il n'y avait pas d'automobiles.

—Le problème de circulation se posait[25] bien avant l'automobile et bien avant Haussmann, ajoute Raymond.
5 Au dix-septième siècle, les rues de Paris étaient déjà encombrées de voitures,[26] de chevaux, de carrosses,[27] qui rendaient la vie très difficile pour les piétons.[28] J'ai lu quelque part qu'au dix-huitième siècle le roi Louis XV[29] a prié un jour d'Argenson, son lieutenant de police, de faire quelque chose
10 à ce sujet.[30]

—Et qu'est-ce qu'a fait M. d'Argenson? demande innocemment Jacqueline.

—C'est bien simple, dit Raymond. Il a remarqué qu'un grand nombre d'accidents étaient causés par des femmes
15 qui conduisaient[31] à toute vitesse de petites voitures appelées cabriolets.[32] Alors, un beau matin, il a interdit[33] aux femmes de conduire un cabriolet dans les rues de Paris avant l'âge de raison.

—Eh bien?

20 —Pour les femmes, il a fixé l'âge de raison—un peu arbitrairement, je l'avoue—à trente ans!

—Ton M. d'Argenson[34] était un mauvais plaisant,[35] déclare Jacqueline. C'est toujours la même histoire: nous autres femmes, nous sommes responsables de tous les maux.[36]
25 Tu me fais penser à la vieille chanson populaire:

A la tienne,[37] Etienne,
A la tienne, mon vieux;
Sans ces diables[38] de femmes,
On serait tous[39] heureux...

Ce sentiment de supériorité qu'ont les hommes me paraît parfaitement ridicule.

—Ne te fâche pas,[40] Jacqueline. Est-ce qu'il n'est pas permis[41] à un frère de taquiner[42] un peu sa sœur?

Le beau Palais de Chaillot (Voir p. 138).

23 Haussmann: a 19th century official who was responsible for opening wide streets and large squares in the city.

24 Aménager, *arrange.* A fait aménager, *caused to be opened.*

25 Se posait, *existed.*

26 Une voiture, *a vehicle* (of any kind).

27 Une carrosse, *a carriage.*

28 Un piéton, *a pedestrian.*

29 Louis XV, *King of France* 1715-1774.

30 A ce sujet, *about that.*

31 Qui conduisaient, *who drove* (imperfect indicative of «conduire»).

32 Un cabriolet, *a two-wheeled buggy.*

33 Il a interdit, *he forbade.*

34 Ton M. d'Argenson, *this Mr. d'Argenson of yours.*

35 Un mauvais plaisant, *a poor joker.*

36 Tous les maux, *all our ills* (lit. *all the evils*).

37 A la tienne, *to your health* (lit. *to yours*).

38 Ces diables de femmes, *these deuced women.*

39 On serait tous, *we would all be...* Colloquial for «nous serions tous.»

40 Ne te fâche pas, *don't get angry.* Neg. imper. of «se fâcher.»

41 Est-ce qu'il n'est pas permis à un frère de, *can't a brother...?* (lit. *Is it not permitted to a brother to...?*)

42 Taquiner, *to tease.*

93

XVIII

Eaux Minérales

M. et Mme Lange ont souvent invité Bill à dîner chez eux et ils l'ont présenté à leurs amis le plus aimablement du monde — comme s'il était un membre de la famille. Bill décide de rendre[1] leur politesse en les invitant à dîner avec
5 lui dans un restaurant du Bois de Boulogne. M. et Mme Lange acceptent avec plaisir, car ils dînent rarement dans les grands restaurants.

En descendant du taxi, Bill remarque que l'affluence[2] est grande et qu'il y a dans le parking[3] de belles autos de
10 toutes les marques européennes et américaines. A l'intérieur, au contraire, tout est calme. Il n'y a pas de musique, pas de bar. Les garçons, vêtus de noir, vont d'une table à l'autre, présentant des cartes, apportant des plats. Malgré leur habileté, le service est assez lent. Dans les restaurants de luxe,
15 on n'est pas pressé.

Quand Bill et ses invités sont assis, Bill regarde curieusement autour de lui, car il trouve toujours amusant d'observer les gens. Voici deux vieux messieurs à barbe blanche, décorés[4] tous les deux, qui mangent ensemble. A la table
20 voisine, un homme jeune et bien mis[5] dîne en tête à tête avec une blonde éclatante.[6] Plus loin, il y a une famille de la bonne bourgeoisie[7] qui mange copieusement, serviette au cou... Bill remarque tout à coup que quelques-uns de ces gens-là ne boivent que de l'eau.

25 — J'ai toujours entendu dire que vous autres Français ne buvez jamais d'eau, dit-il. Avant mon départ des Etats-Unis, on m'a bien recommandé de ne pas en boire. Par précau-

tion, on m'a même vacciné contre les maladies que l'eau peut transmettre. Ces gens n'ont-ils pas peur de la dysenterie ou de la fièvre typhoïde?

— Soyez[8] tranquille, répond M. Lange. Notre eau est parfaitement inoffensive. Je me demande même parfois si cette 5 légende de l'insalubrité[9] de l'eau en France n'a pas été répandue par des gens intéressés à la vente d'autres boissons.

— Je sais que l'eau de la ville de Paris est bonne, dit Bill, car j'en bois tous les jours.

— D'ailleurs, explique Mme Lange, les gens que vous 10 voyez ne boivent pas de l'eau ordinaire, mais de l'eau minérale.

— De l'eau minérale? s'écrie Bill. Est-ce que tous ces gens-là sont malades?

— Pas du tout, répond M. Lange. S'ils boivent de l'eau 15 minérale, c'est parce qu'ils l'aiment, parce qu'ils ont l'habitude d'en boire, et surtout parce qu'ils croient que l'eau minérale est bonne pour la santé. Certaines eaux minérales ont la réputation d'être bonnes pour l'estomac, d'autres pour le foie,[10] d'autres pour le cœur. 20

— J'admets volontiers, dit Bill, que ces eaux minérales peuvent contenir des produits utiles pour le traitement de certaines maladies. Mais croyez-vous que ces produits s'y

---

[1] Rendre, *pay back.*
[2] L'affluence, *crowd.*
[3] Un parking, *a parking lot.* This is a relatively recent borrowing from English.
[4] Décorés: wearing ribbons corresponding to honors they have received.
[5] Bien mis, *well dressed.* «Mis» is

the past participle of «mettre».
[6] Eclatante, *dazzling.*
[7] La bonne bourgeoisie, *the well-to-do, upper middle-class.*
[8] Soyez, *be.* Imperative of «être.» In English we would say: *"Don't worry."*
[9] Insalubrité, *unwholesomeness.*
[10] Le foie, *the liver.*

trouvent en quantité suffisante pour être vraiment efficaces?
— Vous êtes bien Américain, mon cher Bill, reprend
Mme Lange avec un sourire. Vous voulez toujours être
«efficient.» Ne croyez-vous pas qu'il vaut mieux[11] soigner
5 tout doucement une maladie d'estomac, par petites doses
d'eau de Vichy par exemple, plutôt que de la traiter violemment, par une opération chirurgicale ou par des doses mas-
sives de remèdes chimiques?

— Certainement, répond Bill, mais à condition que la
10 maladie soit[12] aussi douce que le remède. J'avoue qu'en
Amérique nous abusons[13] peut-être des remèdes énergiques.[14]
Mais n'est-il pas dangereux de traiter par l'eau de Vichy
un désordre sérieux?

— Heureusement que tous les désordres ne sont pas
15 sérieux, répond Mme Lange. Je connais quantité de gens
qui vont faire, chaque année, une cure à Vichy ou ailleurs
et qui s'en trouvent très bien.

— Une cure? demande Bill. Est-ce que tous ces gens-là
reviennent soudainement guéris?[15]

20   — Bill, déclare Mme Lange, je crois que le mot anglais
«cure» vous trompe[16] sur le sens de l'expression «faire une
cure.» Cela ne veut pas dire revenir guéri, mais seulement
suivre[17] un traitement. Le succès n'est pas absolument garanti. D'ailleurs, pour les personnes d'un certain âge, la
25 santé est un terme relatif.

— A vrai dire, explique M. Lange, faire une cure ne

---

[11] Il vaut mieux, *it is better.*
[12] Soit, *is.* (Present subjunctive of
«être.» The subjunctive is used
after «à condition que.»)
[13] Nous abusons, *we misuse, use
too freely.*

[14] Energique, *powerful.*
[15] Guéri, *cured.* «Guéri» is the
past participle of «guérir.»
[16] Vous trompe sur, *misleads you
about.*
[17] Suivre, *follow.*

« Un verre d'eau minérale? »

consiste pas seulement à boire de l'eau d'une source.[18] Vichy,
Vittel, Aix-les-Bains, toutes les grandes stations thermales[19]
sont aménagées en lieux de villégiature.[20] Terrains de golf,
courts de tennis, piscines,[21] régates, courses, concerts, théâ-
5 tres, casinos, restaurants de luxe, boîtes de nuit[22] même, rien
n'y manque.

— Dans ces conditions, dit Bill, faire une cure doit être
très agréable. Mais à quoi bon boire de l'eau minérale pour
se soigner l'estomac si, ensuite, on fait un bon dîner dans
10 un restaurant de luxe et si l'on finit la soirée au casino ou
ailleurs?[23] Ne détruit-on pas, la nuit, tout le bon travail
de la journée?

— N'exagérons pas, dit en riant M. Lange. La plupart
des gens prennent leur cure très au sérieux. Ils boivent de
15 l'eau minérale, suivent des traitements physiothérapiques[24]
bienfaisants. Ils prennent un peu d'exercice. Surtout, ils se
reposent, loin des soucis[25] de la vie habituelle. Le repos
n'est-il pas le meilleur des remèdes pour la plupart des
maladies? Moi qui vous parle, après une mauvaise journée
20 au lycée, j'ai souvent envie de prendre le premier train pour
une station thermale des Pyrénées.

— Ah bon! Je comprends, dit Bill. Les gens vont aux
eaux comme ils vont à la plage ou à la pêche[26] à la ligne:
pour se reposer et pour se distraire.

25 — C'est à peu près cela, répond M. Lange. Mais aller
aux eaux, comme on dit, a quelque chose de plus distingué,[27]
de plus noble. Plus encore qu'à la plage, on trouve là l'élite
de la société internationale: hommes d'Etat, étoiles de
cinéma, millionnaires américains, princes, ducs, marquis,
30 rois en exil...

— C'est extrêmement chic, vous voyez, interrompt Mme
Lange.

*« . . . surtout ils se reposent loin des soucis
de la vie habituelle. »*

¹⁸ Une source, *a spring.*
¹⁹ Une station thermale, *a watering place, a hot spring.*
²⁰ En lieux de villégiature, *as summer resorts.*
²¹ Une piscine, *a swimming pool.*
²² Une boîte de nuit, *night club* (slang).
²³ Ailleurs, *elsewhere.* Compare:

d'ailleurs, *besides.*
²⁴ Physiothérapiques, *physiotherapy* (that is: heat, water, massage, gymnastics, etc.).
²⁵ Les soucis, *cares.*
²⁶ A la pêche, *fishing.*
²⁷ Quelque chose de plus distingué, *a more distinguished (a smarter) tone.*

 —Comme vous le savez peut-être, continue M. Lange,
un certain nombre de nos stations thermales portent le
nom de Bourbon ou de Bourbonne, Bourbon-Lancy et
Bourbonne-les-Bains, par exemple. Savez-vous pourquoi?
5 —Non, répond Bill. Mais, après ce que vous venez de
dire, je suppose que c'est à cause du caractère aristocratique
de la société qu'on y trouve encore. Je pense, bien entendu,
à la famille royale des Bourbons. Est-ce que les rois de
France ont honoré ces endroits de leur présence?
10 —Vous n'y êtes pas du tout, répond M. Lange. Les
sources minérales étaient célèbres longtemps avant l'arrivée
au trône des Bourbons.[28] Après la conquête de la Gaule,[29]
les anciens Romains y venaient souvent faire une cure. Et
longtemps avant l'arrivée des Romains, les anciens Gaulois
15 avaient un dieu des sources qui s'appelait Borvo. Il paraît
que Bourbon vient du nom de ce dieu gaulois. Vous voyez
que l'habitude de faire une cure n'est pas une vogue pas-
sagère...

 A ce moment, l'arrivée du garçon vient interrompre la
20 conversation. Mme Lange regarde la carte qu'il lui présente, puis, se tournant vers son hôte, elle lui demande
avec un gentil sourire: «Eh bien, mon cher Bill, qu'allez-
vous prendre comme boisson? Une bouteille d'eau minérale?»

[28] Henri IV, king of France 1589-
1610, was the first of a long line
of Bourbon kings.
[29] Caesar's conquest of Gaul took
place from 58 to 50 B. C. The
Romans built roads and cities,
and for some five hundred years

Gaul was a flourishing part of
the Roman Empire. Traces of
Gallo-Roman architecture are
still to be seen all over France,
particularly in the South: aque-
ducts, triumphal arches, amphi-
theaters, temples, baths, etc.

XIX

Le Long de la Seine

«Cette statue a toute une histoire.»

Un jour qu'ils sont allés voir le Marché aux Fleurs,[2] Bill
et Ann traversent ensemble le Pont-Neuf.[3]

— Ce pont est une espèce de monument historique, explique Bill. C'est le plus vieux des ponts de Paris. C'était
5 autrefois le site d'une foire[4] perpétuelle, où il y avait toujours une foule de marchands ambulants, de musiciens,
d'acteurs qui jouaient des farces, et naturellement beaucoup
de gens du quartier.

— Et on l'appelle le Pont-Neuf? dit Ann.

10 — Pourquoi pas? Lorsqu'il a été construit[5] il y a environ
trois cent cinquante ans,[6] on l'appelait tout naturellement
le Pont-Neuf. Le nom lui est resté.

GIRAUDON

«*On l'appelle toujours le Pont-Neuf.*»

—Les Français aiment bien conserver les traditions, remarque Ann.

—Vous croyez? Pourtant, nous ne disons pas New York ou New Orleans pour conserver une tradition, je pense.

En arrivant au milieu du pont, Ann et Bill s'arrêtent 5 un moment devant la statue équestre de Henri IV.

[1] Le long de, *along.*
[2] Le Marché aux Fleurs, *the flower market.* This open air market, which is held certain days of the week on the Ile de la Cité, attracts many sightseers.
[3] Le Pont-Neuf: the "new" bridge,

was completed in 1606.
[4] Une foire, *a street fair.*
[5] Construit, *built.* «Construit» is the past participle of «construire.»
[6] Il y a...trois cent cinquante ans, *350 years ago.*

103

—Cette statue a toute une histoire, explique Bill. Un de mes camarades à l'Ecole des Beaux-Arts me l'a racontée. Le cheval de la statue primitive[7] avait été fait en Italie, car les Italiens avaient alors la réputation de faire de très beaux 5 chevaux.

—Le cheval est en effet magnifique.

—La Révolution française,[8] qui n'aimait pas les rois, a fait fondre[9] Henri IV et son cheval. Plus tard, lorsque la monarchie a été restaurée[10] après la chute de Napoléon, le 10 nouveau régime, qui n'aimait pas Napoléon, a fait fondre la statue de Napoléon qui était sur la Colonne Vendôme[11] et s'est servi[12] du bronze de cette statue pour refaire celle de Henri IV.

—Malgré ses aventures, la statue paraît être en très bon 15 état... Mais regardez la Seine, Bill, avec tous ses ponts qui s'étendent à perte de vue.[13] N'est-ce pas un beau spectacle?

—Je crois bien,[14] répond-il. On a admirablement tiré parti[15] de ce fleuve, qui en lui-même n'est pas très imposant. Ce n'est pas le Mississippi, non. Mais tandis que chez nous 20 les quartiers qui bordent fleuves et rivières sont souvent misérables, il faut avouer qu'on a réussi à faire de la Seine un des grands attraits de la capitale.

---

[7] Primitive, *original* or *first*. The word does not have the connotation of "crude."

[8] Some authorities hold that the French Revolution began on the Pont-Neuf. It is still the site of a fine display of fireworks each July 14th.

[9] A fait fondre, *had...melted.*

[10] The restoration of the monarchy was in 1815.

[11] The Colonne Vendôme is a monumental column in the center of the Place Vendôme. It is covered with bronze bas-reliefs representing Napoleon's battles.

[12] Se servir de, *to use.*

[13] A perte de vue, *as far as you can see.*

[14] Je crois bien, *I should say so.*

[15] Tirer parti de, *to use advantageously.*

—Aussi[16] les Parisiens adorent-ils leur fleuve, continue Ann. Jacqueline m'a dit que la Seine est pour eux, dans son flot continu, une espèce de symbole de la continuité de leur ville.

—Ils la célèbrent même dans leurs chansons populaires. 5 Connaissez-vous celle-ci, par exemple:

> Elle roucoule, coule, coule,
> Dès qu'elle entre dans Paris,
> Elle s'enroule, roule, roule
> Autour de ses quais fleuris.
> Elle chante, chante, chante, chante
> Chante le jour et la nuit,
> Car la Seine est une amante
> Et son amant c'est Paris.

—Cette chanson est la plus jolie du monde, dit Ann, et vous la chantez très bien. Mais attention! Les gens nous regardent. Ils se demandent peut-être si, par hasard, vous êtes un de ces chansonniers populaires qu'on entendait 10 autrefois sur le Pont-Neuf.

—A quelle heure devez-vous être à la Sorbonne? demande Bill lorsqu'ils arrivent à l'extrémité du Pont-Neuf.

—Un peu avant dix heures. Nous avons trois quarts d'heure devant nous. Voulez-vous jeter un coup d'œil sur 15 les étalages des bouquinistes?[17]

—Volontiers, dit Bill. On y trouve souvent des choses intéressantes.

---

[16] Aussi...adorent-ils, *and so they love*. Note that «aussi» does not mean *also* at the beginning of a sentence.

[17] Les bouquinistes, *the second-hand book dealers*. (Compare: livre, *book;* libraire, *bookseller;* bouquin, *old book.)*

Le long de la Seine, sur le parapet qui borde le fleuve, sont placées côte à côte les boîtes des bouquinistes. Ann et Bill vont d'une boîte à l'autre, tournant ici les pages d'un vieux livre, examinant là une collection de vieilles estampes[18] ou de timbres. Bill trouve un traité d'architecture qui l'inté- 5 resse beaucoup. Mais le prix — 8.000 francs — en[19] est assez élevé. Il le montre à Ann et lui demande son avis.

— Pourquoi n'essayez-vous pas de marchander un peu? lui demande-t-elle. Le commerce des livres d'occasion[20] est une espèce de commerce spéculatif.   10

— Vous voulez dire que l'acheteur risque de payer un prix trop élevé ce qu'il achète?

— Oui. Mais le vendeur risque aussi de recevoir un prix trop bas pour ce qu'il vend. Ne vous ai-je pas parlé de mon oncle qui collectionne les livres sur l'histoire de la méde- 15 cine? Chaque fois qu'il vient en France il visite tous les bouquinistes. Il a trouvé ici des occasions[21] magnifiques. Il m'a expliqué qu'il porte toujours ses plus vieux habits, afin de ne pas paraître trop prospère, et que plus[22] un livre l'intéresse, plus il affecte l'indifférence à son égard... C'est 20 une espèce de jeu assez amusant, dont les bouquinistes, eux aussi, connaissent admirablement les règles. De sorte que[23] tout le monde est content.

— Grâce aux sages conseils de Ann, Bill finit par payer 6.000 francs le traité d'architecture, et, tout heureux[24] de son 25 acquisition, il continue avec Ann sa promenade le long de la Seine.

---

[18] Une estampe, *a print.* Un timbre, *a stamp.*
[19] En, *of it.*
[20] Les livres d'occasion, *second-hand books.*

[21] Une occasion, *a bargain.*
[22] Plus ... plus, *the more ... the more.*
[23] De sorte que, *so that.*
[24] Tout heureux, *very happy.*

GIRAUDON

Ann s'arrête un moment pour observer des pêcheurs, qui, en plein cœur de Paris, regardent patiemment leurs bouchons flotter sur l'eau verte de la Seine.

— Est-ce qu'ils attrapent jamais quelque chose? demande-
5 t-elle à Bill.

— Pas grand'chose, répond-il. Mais les pêcheurs à la ligne sont aussi parisiens que la tour Eiffel. Tous les matins, je les vois arriver avec leurs cannes à pêche et leurs chaises pliantes. Tous les soirs, ils rentrent chez eux, fort satisfaits
10 de leur journée s'ils ont attrapé une demi-douzaine de poissons gros comme deux doigts.

— Ils ont l'air pourtant très experts dans leur art. Regardez l'habileté avec laquelle cet homme lance sa ligne. Ce n'est sûrement pas un amateur.

15 — Le malheur est que les poissons de la Seine ne sont pas des amateurs, eux non plus.[25] Ils ont acquis une certaine expérience, vous comprenez, depuis des siècles que les Parisiens essayent de les attraper...

[25] Ne sont pas...non plus, *aren't
...either.*

XX

Anniversaires

— Je vois dans le journal l'annonce de la représentation
du film de Walt Disney *20,000 Leagues under the Sea.* Le
connaissez-vous? demande Bill à Jacqueline, un jour que
les deux amis sont assis sur la terrasse d'un café près de la
Sorbonne.   5

— J'ai entendu parler de cette adaptation de *Vingt mille
lieues sous les mers,* répond Jacqueline, mais je ne l'ai pas
encore vue. Il paraît que c'est un excellent film. Disney a
sans aucun doute énormément d'originalité. Avez-vous vu
ce film aux Etats-Unis?   10

— Oui, répond Bill. C'est un film très curieux.[1] On a
quelquefois l'impression d'être dans un aquarium. Cela ne
l'empêche pas d'être amusant, surtout pour les enfants. Votre
Jules Verne avait certainement le talent d'éveiller et de conserver l'attention du lecteur avec ses histoires extraordi- 15
naires.

— J'étais justement à Amiens au moment des cérémonies
du cinquantenaire[2] de sa mort, continue Jacqueline. J'ai
entendu célébrer, dans des discours éloquents, son imagination prodigieuse, son art de prédire, au dix-neuvième siècle, 20
les merveilles de la science future, depuis le sous-marin *Nau-
tilus* jusqu'au projectile qui monte à la lune — et qui en
revient.[3]

— Vous paraissez un peu sceptique...

[1] Curieux, *interesting and un-*   *anniversary.*
  usual.   [3] En revient, *comes back (from*
[2] Le cinquantenaire, *the fiftieth*   *there).*

— Pas exactement. Je ne sais pas si, un jour, l'homme ira jusqu'à la lune. Ce que je sais, c'est qu'un tel exploit est plus difficile à réaliser[4] qu'à imaginer. Jules Verne est certes un excellent conteur.[5] Mais il me semble qu'il n'a
5 pas toujours tenu compte[6] des difficultés du voyage!

— A propos du cinquantenaire de Jules Verne, continue Bill, pouvez-vous m'expliquer pourquoi vous célébrez si souvent l'anniversaire de la *mort* d'un de vos grands hommes? Aux Etats-Unis, nous célébrons d'ordinaire l'an-
10 niversaire de la *naissance*[7] des nôtres, celle de Washington ou celle de Lincoln, par exemple. N'est-ce pas plus justifié? Car, s'il y a lieu[8] de fêter l'anniversaire de la naissance d'un personnage illustre, je ne vois guère de raison de célébrer sa mort.

15 — Il ne s'agit pas de célébrer sa mort, mais d'honorer sa mémoire, de rappeler[9] ce qu'il a accompli.

—Il est vrai qu'un enfant qui vient de naître[10] n'a encore rien accompli, dit Bill.

—C'est une question de point de vue, continue Jacqueline, et aussi une tradition, qui se rattache sans doute à de vieilles habitudes. Sans compter que cette évocation[11] 5 de la mort d'un grand homme donne de la dignité, de la gravité aux cérémonies qui honorent sa mémoire.

—En lisant les journaux, j'ai remarqué que ces fêtes d'anniversaire sont très nombreuses. Il me semble qu'il y a toujours quelque ville de France qui honore un éminent 10 «disparu[12]», comme on dit. Certains de vos grands hommes, comme Pasteur, sont dignes en tout point des honneurs qui leur sont rendus;[13] mais il y en a d'autres dont je n'ai jamais entendu parler.

—N'oubliez pas que si de grands anniversaires, comme 15 celui de Pasteur ou de Balzac, sont sur le plan national, d'autres sont des anniversaires purement locaux. L'importance des cérémonies commémoratives est proportionnée à celle de l'homme qu'elles honorent.

—Dites-moi, Jacqueline, en quoi consistent exactement 20 ces cérémonies?

—Cela dépend, répond-elle. Il y a souvent, dans un

---

[4] Réaliser, *carry out, put into effect.*

[5] Un conteur, *a story teller.*

[6] A...tenu compte, *has...taken into account.*

[7] La naissance, *the birth.*

[8] S'il y a lieu, *if there is reason.* «Lieu» usually means *place.*

[9] Rappeler, *recall.*

[10] Vient de naître, *has just been born.*

[11] L'évocation, *act of remembering* or *recalling.*

[12] Un disparu, *a person who is dead.* «Disparu» is the past participle of «disparaître,» *to disappear,* but is often used as a noun. It is of course a euphemism. Compare English "to pass on," "the departed," etc.

[13] Leur sont rendus, *are given them.*

SCHLAPFER

Monument de Chopin.

14 L'œuvre, *the work.*
15 Appareils, *apparatus.*
16 Peintures, *paintings.*
17 Pourraient, *might be.* (Conditional of «pouvoir.»)
18 La Bibliothèque Nationale, *the National Library.* In addition to an enormous collection of books and newspapers, the library has priceless collections of manuscripts, prints of various sorts, coins, maps, fine bindings, etc.
19 On a réuni, *they got together.*
20 Delacroix (1798-1863) was the leader of the Romantic school of painters.
21 Georges Sand, pen name of the authoress of very ɾuccessful novels in the 19th century.
22 Inaugurer, *to unveil* (with appropriate ceremonies).
23 Les autorités compétentes, *the proper authorities.*
24 Le service des Postes, Télégraphe et Téléphone: (practically always abbreviated) administers the three types of communication.
25 Ce genre, *this kind.*
26 L'intention de vous le reprocher, *the intention of reproaching you for it.* Note that in French the person is the indirect object of «reprocher» and the thing is the direct object.

112

musée ou dans une bibliothèque publique, une exposition
d'objets associés à la vie et à l'œuvre[14] du personnage en
question, effets personnels, appareils[15] et instruments s'il
s'agit d'un savant, peintures[16] et dessins s'il s'agit d'un
peintre.   5
   — De telles expositions pourraient[17] être fort instructives.
   — En effet, dit Jacqueline. Pour l'exposition Chopin, à
la Bibliothèque Nationale,[18] par exemple, on a réuni[19] toute
sorte de choses: des manuscrits, des premières éditions de
ses compositions avec des couvertures décorées de scènes 10
romantiques, des programmes de ses concerts, son piano
même, son portrait fait par Delacroix,[20] des lettres de
Georges Sand,[21] etc. Toutes les expositions organisées à la
Bibliothèque Nationale sont merveilleuses.
   — J'ai entendu dire que la Bibliothèque Nationale pos- 15
sède une collection de manuscrits et d'estampes tout aussi
remarquable que les collections de peintures et de sculp-
tures du Louvre.
   — Cela est vrai, répond Jacqueline. Mais à propos des
anniversaires, je dois vous dire aussi que d'ordinaire on 20
inaugure,[22] en présence des autorités compétentes,[23] une
statue ou un buste du personnage en question sur une des
places de la ville; ou bien on pose une plaque commémora-
tive sur la maison où il a habité. Des articles de journaux
rappellent le disparu. Quelquefois, le service des P. T. T.[24] 25
émet un timbre commémoratif...
   — Oh! je comprends maintenant. C'est pour cela qu'il
y a tant de statues et de bustes dans les villes de France et
que vous émettez tant de timbres commémoratifs.
   — Il est vrai, répond Jacqueline, que le nombre de tim- 30
bres de ce genre[25] peut sembler excessif.
   — Je n'avais pas du tout l'intention de vous le reprocher,[26]

dit Bill. Notre gouvernement des Etats-Unis émet au moins autant[27] de timbres que le vôtre. Je suis même tout disposé à admettre que vos timbres sont d'ordinaire plus artistiques que les nôtres.

5 — Merci. J'admettrai, en retour, que certaines des statues qui ornent[28] nos places publiques ne sont pas des chefs-d'œuvre.[29] Fréquemment, nos journaux commencent une campagne de presse contre quelque monument qui, disent-ils, déshonore leur ville. Mais ces campagnes réussissent 10 rarement.

— Oui, dit Bill, il est sûrement plus facile d'ériger un monument que de s'en défaire.[30] En Amérique comme en France, chaque petite ville a son monument aux anciens combattants. Souvent le monument n'honore ni la ville ni 15 les soldats. Je n'aime pas l'idée de célébrer les morts en exposant leur statue dans la rue.

— Alors, dit Jacqueline, vous apprécierez le geste d'un groupe de jeune peintres qui ont mis[31] dans le Parc Monceau[32] un écriteau avec la légende:

IL EST INTERDIT

D'ÉRIGER DES STATUES

SUR LA PELOUSE[33]

---

[27] Autant de, *as many.*
[28] Orner, *to adorn.*
[29] Un chef-d'œuvre, *a masterpiece.*
[30] S'en défaire, *to get rid of it.*
[31] Ont mis, *have put.*
[32] Le Parc Monceau: a very well-kept park in a dressy neighbor-

hood. It has numbers of statues here and there on the lawns.
[33] *"The public is prohibited from putting up statues on the lawn."* This is about the equivalent of: "Keep off the grass with your statues."

Parc Monceau.

GIRAUDON

XXI

Rues de Paris

Un après-midi qu'ils se promènent ensemble, Bill dit à Raymond:

— Il n'y a rien de plus[1] déconcertant que vos rues de Paris. Elles vont dans tous les sens, et celles qui sont à peu
5 près droites changent de[2] nom avec une facilité singulière. Il y a quelques instants ce boulevard-ci s'appelait le *boulevard Montmartre.* Il est devenu tout à coup le *boulevard Poissonnière.* Et maintenant nous sommes sur le *boulevard de Bonne-Nouvelle,* qui est le prolongement exact des deux
10 précédents. Pourquoi a-t-on donné tant de noms différents à la même rue?

— Un cynique pourrait[3] vous répondre que les noms des rues de Paris sont comme ceux des ministres[4] en France: s'ils changent si souvent, c'est pour que chacun ait[5] son tour.

— Sérieusement, Raymond, pouvez-vous donner une raison logique qui explique ce changement? Vous autres 5 Français,[6] vous avez la réputation d'avoir l'esprit clair.[7] Trouvez-vous un malin[8] plaisir à jeter la confusion dans l'esprit des visiteurs étrangers de passage[9] à Paris?

— Vous exagérez, Bill. Il y a relativement peu de rues qui changent de nom sans vous en avertir.[10] D'ailleurs, les 10 Parisiens eux-mêmes sont souvent embarrassés par la complexité des rues de leur ville, et beaucoup d'entre eux ont dans leur poche un petit guide qui porte le nom bien choisi d'*Indispensable*. Il l'est[11] en effet. Même les agents de police et les chauffeurs de taxi doivent le consulter de temps 15 en temps.

— Lorsque j'étais à Québec il y a deux ans, un des habitants m'a fait remarquer que la rue principale de la ville change trois ou quatre fois de nom en cours de route. Il s'agit sans doute là d'une vieille coutume française. 20

---

[1] Rien de plus, *nothing more.* Note that after « rien » and « quelque chose » an adjective is preceded by the preposition « de. »

[2] Changer de, *to change.*

[3] Pourrait, *might.* (Conditional of « pouvoir. »)

[4] Ceux des ministres, *those of members of the cabinet.*

[5] Ait, *may have.* Present subjunctive of « avoir, » depending upon « pour que. »

[6] Vous autres Français, *you French people.*

[7] Compare the proverbial expression: « Si ce n'est pas clair, ce n'est pas français. »

[8] Malin, *sly.*

[9] De passage à, *temporarily in.*

[10] Sans vous en avertir, *without warning you about it.*

[11] Il l'est, *it is.* « Le » refers to « Indispensable. »

— Le changement soudain du nom d'une rue s'explique
souvent par une raison historique. C'est parfois la proximité d'un site bien connu des Parisiens d'autrefois, d'une
église, d'un bâtiment depuis longtemps disparu. Par exem-
5 ple, la Bastille, qui a été détruite en 1789, a laissé son nom
à un boulevard et à une belle place. Si une section des
grands boulevards porte le nom de *boulevard de Bonne-
Nouvelle,* c'est qu'il y avait là une petite église, qui existe
encore, appelée *Notre-Dame de bonnes nouvelles.* A vrai
10 dire, il ne s'agit pas de changer le nom d'une rue tous les
deux cents mètres; il s'agit, au contraire, de conserver les noms
de lieu qui existaient au moment où on a aménagé[12] la rue.

— Tout cela est très évocateur[13] du passé, répond Bill,
mais ce n'est guère pratique. Je préfère de beaucoup le
15 système que nous employons dans certaines de nos villes
d'Amérique, à New-York par exemple, où tout le monde
sait que la Quarante-septième rue est juste entre la Quarante-
sixième et la Quarante-huitième. Pas d'incertitude possible.
D'un point donné à un autre, on peut même presque exacte-
20 ment calculer la distance.

— Vous autres Américains, vous êtes pratiques. Voilà
tout!

— Mais, mon cher Raymond, vous autres Français, vous
êtes très fiers d'avoir inventé le système métrique. Vous en
25 vantez[14] justement la commodité, la simplicité. Or,[15] je vous
ferai remarquer que notre système de désignation des rues
et des avenues est l'application d'une espèce de système
métrique à l'aménagement[16] des villes.

— C'est assurément très sensé, Bill. Est-ce que toutes les
30 villes américaines ont le même système?

— Non, hélas. Je dois avouer que même à New-York il y

*La rue
du Chat
qui pêche.*

GIRAUDON

a des quartiers où les rues portent des noms comme à Paris.
On peut facilement y perdre son chemin.

—Vous serez obligé d'admettre aussi que certaines rues
de Paris ont un nom fort pittoresque. Connaissez-vous la *rue
du Chat qui pêche?*   5

—Non. C'est un nom assez inattendu.[17] D'où vient-il?

—C'est un vestige[18] de la réclame[19] commerciale d'autrefois, du temps où magasins et boutiques étaient ornés d'enseignes[20] peintes destinées[21] à attirer les clients—dont la
plupart ne savaient pas lire. Il y avait dans cette rue-là 10
une enseigne peinte, qui montrait un chat en train de
pêcher—sans doute l'enseigne d'un marchand de poisson.
Les noms de lieu sont extrêmement durables.

[12] On a aménagé, *they opened.*
[13] Evocateur, *suggestive, evocative.*
[14] Vous en vantez. . .la commodité,
you boast of its convenience.
Note that «vanter» takes a direct object.
[15] Or, *now.*

[16] L'aménagement, *laying out.*
[17] Inattendu, *surprising.*
[18] Un vestige, *a trace, a remnant.*
[19] La réclame commerciale, *advertising.*
[20] Une enseigne, *a sign.*
[21] Destiné, *intended.*

119

— J'ai remarqué que beaucoup de rues portent le nom
d'un saint. Est-ce que tous ces saints habitaient autrefois à
Paris?

— Mais non! Le vieux Paris était couvert d'églises, de
5 couvents qui portaient des noms de saints et de saintes.
D'ordinaire les vieilles rues conservent leurs vieux noms
traditionnels.

— Donc la *rue Saint-Etienne* est tout simplement l'endroit où il y avait autrefois une église Saint-Etienne?

10 — Sûrement. D'ailleurs saint Etienne vivait à l'époque
biblique. C'était le premier des martyrs chrétiens. Il habi-
tait à Jérusalem, si je ne me trompe.[22]

— Vous êtes une véritable mine de renseignements!

— A l'époque moderne, continue Raymond, lorsque la
15 capitale s'est agrandie et transformée, il a fallu trouver des
centaines de noms nouveaux. Avec une impartialité remarquable, on a distribué les noms de rues et d'avenues parmi
les écrivains,[23] les savants, les artistes, les généraux, les
hommes politiques de tous les temps et de tous les pays.
20 Quelques-uns de vos compatriotes ont leur rue à Paris.

— Je connais l'*avenue du Président Wilson.* Y en a-t-il
d'autres?

— La ville de Paris a également honoré Washington,
Lincoln, Roosevelt et Rockefeller, dont le nom, par une
25 regrettable erreur, est devenu «Rockfeller.»

— A-t-on pu trouver assez d'illustres personnages pour
nommer toutes les rues de Paris?

— Il faudrait évidemment de l'érudition pour identifier
quelques-uns d'entre eux. Le *boulevard Raspail,* par exem-
30 ple, est une des grandes artères[24] parisiennes. L'illustre
personnage qui a donné son nom à ce boulevard a fait
beaucoup pour la chimie et pour le suffrage universel,

mais il est moins connu aujourd'hui que son boulevard. A
vrai dire, il n'est plus guère connu que[25] par son boulevard.

   — J'ai une idée, dit Bill, avec un sourire: on pourrait
procéder tous les cinquante ans à une révision générale des
noms des rues, un peu comme l'Académie Française procède 5
à la révision de son *Dictionnaire!* [26]

   — L'idée ne serait pas mauvaise, si elle n'était pas de
nature à mettre une certaine confusion dans les habitudes.
C'est pourquoi je préfère les vieux noms pittoresques, ceux
qui signifient ou qui évoquent quelque chose, comme la 10
rue de l'Arbre Sec, la *rue du Bac,*[27] ou la *rue des Mauvais
Garçons.*

   — Où se trouve cette rue au nom sinistre?

   — Près de la Sorbonne. Je me demande si ces «mauvais
garçons» n'étaient pas des étudiants de l'Université... Mais, 15
à propos de noms sinistres, mon père m'a dit qu'il y avait à
Amiens une vieille rue qui portait le nom de *rue des Corps
Nus Sans Tête.*[28] Que pensez-vous de ça?

   — Franchement, déclare Bill, je pense que votre père a
lu trop de romans policiers...   20

---

[22] Si je ne me trompe, *if I am not
mistake.* In this expression, the
«pas» of «ne...pas» is usually
omitted.

[23] Un écrivain, *a writer.*

[24] Une artère, *a principal street.*
Compare English *arterial.*

[25] Il n'est plus guère connu que,
he is scarcely known now except.
Ne ... plus, *no longer.* Ne ...
guère, *scarcely.* Ne...que, *only.*
The combination of the three
expressions is frequently found.

[26] The French Academy has published a series of dictionaries
from 1694 to the present. Revision goes on continually but a
new edition is produced only
every fifty years or so.

[27] Un bac, *a ferry.* This street, on
the Left Bank, leads now to the
Pont Royal, but its name re-
minds one that the river used to
be crossed by ferry.

[28] Corps Nus Sans Tête, *naked
corpses without heads.*

«La spéléologie est à la fois une science et un sport.»

XXII

Un Sport Inusité[1]

Sur la table, dans la chambre de Raymond, Bill remarque un jour plusieurs livres relatifs à la spéléologie.[2]

—Qu'est-ce que c'est que la spéléologie? demande-t-il à Raymond. Il s'agit sans doute d'une science nouvelle. Il y a tant de sciences nouvelles et tant de mots qui finissent en 5 -LOGIE que je ne devine pas du tout ce que cela veut dire.

—La spéléologie, répond son ami, est à la fois une science et un sport. La science, c'est l'étude de la formation des grottes et des cavernes naturelles. Le sport, c'est leur exploration. 10

—Oh! oui, répond Bill. J'ai lu dans une revue américaine que ce sport était populaire en France.

—Populaire, c'est beaucoup dire, explique Raymond. Descendre, à l'aide de cordes ou d'échelles flexibles,[3] parfois à des milliers[4] de pieds sous terre, n'est pas exactement un 15 sport pour les amateurs. Beaucoup de gens parlent de la spéléologie, mais ceux qui la pratiquent sont moins nombreux.

—Vous êtes, si je devine bien, un de ceux qui la pratiquent? 20

—De temps en temps. J'ai un camarade qui est non seulement fanatique de ce sport, mais qui est aussi très

---

[1] Inusité, *unusual.*
[2] La spéléologie, *the study of caves, speleology.* The science has long been practiced in France.
[3] A l'aide de cordes ou d'échelles flexibles, *with the help of ropes and rope ladders.*
[4] Milliers, *thousands.*

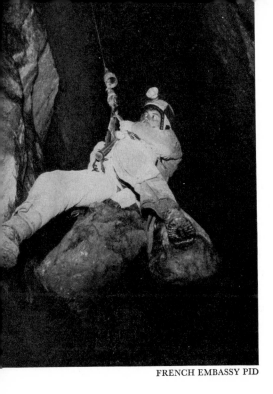

«*Descendre dans un gouffre noir est un sport passionnant.*»

expérimenté dans l'art des explorations souterraines. Je l'ai accompagné plusieurs fois dans ses expéditions.

— Y a-t-il assez de grottes et de cavernes pour tout le monde?

5 — Oui. Elles sont très nombreuses dans certaines régions de la France, notamment à l'ouest[5] du Massif Central.[6] Il y a là des plateaux calcaires[7] où l'on trouve énormément de grottes naturelles. Vous avez entendu parler de l'homme de Cro-Magnon,[8] n'est-ce pas?

10 — Naturellement. Il occupe une place d'honneur dans tous les manuels d'anthropologie. J'ai même vu ses os au Musée de l'Homme[9] dans le Palais de Chaillot.

— Eh bien, il a habité avec ses contemporains, il y a plus de 20.000 ans, dans des grottes le long des rivières, pas très

124

*Au
Musée
de l'Homme.*

GIRAUDON

loin de la ville actuelle[10] de Bordeaux.[11] Notre région du
Périgord, célèbre pour ses truffes,[12] l'est aussi pour ses an-

[5] L'ouest, *the west.*
[6] Le Massif Central: a vast plateau which occupies about one fifth of the total area of France.
[7] Calcaire, *limestone.*
[8] L'homme de Cro-Magnon: a pre-historic man whose skeleton was found near a place in France called Cro-Magnon.
[9] Le Musée de l'Homme: a rich anthropological museum which occupies a part of the Palais de Chaillot.

[10] Actuel, *present-day.* (Not "ac-tual.")
[11] Bordeaux is one of the leading French cities. At the mouth of the Garonne, in the heart of the wine-growing district, it is an important center of shipping.
[12] Une truffe, *a truffle.* A remarkably fine flavored mushroom which grows entirely under-ground. They can be located only with the help of pigs or dogs which have been trained.

125

Cheval préhistorique dessiné par les troglodytes.

ciens troglodytes.[13] C'est là qu'on a découvert ces merveilleux dessins d'animaux préhistoriques avec lesquels nos
lointains ancêtres décoraient leurs demeures. Il paraît même
que ces gens-là avaient des yeux meilleurs que les nôtres:
5 il a fallu attendre[14] la découverte de la photographie pour

reproduire les mouvements des animaux aussi exactement qu'ils l'ont fait[15] dans leurs dessins.

—C'est peut-être grâce à l'excellence de leur vue[16] que vos lointains ancêtres ont été de si grands artistes. Mais visiter les grottes où ils ont vécu entourés de leurs œuvres 5 artistiques me paraît être une variété de tourisme plutôt qu'un sport véritable.

—Vous avez tout à fait raison. Mais vous pensez aux cavernes qu'on a aménagées[17] pour les touristes. On visite les grottes de l'homme de Cro-Magnon comme on visite les 10 châteaux des rois de France. Le sport commence lorsqu'il s'agit de visiter des lieux[18] souterrains où l'homme moderne n'a jamais pénétré. L'exploration d'un gouffre[19] profond offre toutes les satisfactions de l'alpinisme,[20] avec quelque chose de plus, l'attrait[21] du mystère. Descendre dans l'in- 15 connu, dans un gouffre noir dont on ne sait où est le fond[22] est un sport passionnant.

—Qu'est-ce que vos parents pensent de ce genre de distraction?

—Ils me disent que je vais évidemment me casser le cou, 20 un jour ou l'autre. En réalité, les accidents sont rares.

—Quels accidents?

—Si une corde ou une échelle est mal attachée, on risque de dégringoler[23] au fond du gouffre. Il y a surtout le danger de l'eau et des avalanches. 25

[13] Troglodyte, *cave-dweller.*
[14] Il a fallu attendre...pour, *not until...could we* (lit. *It was necessary to wait for...in order to*).
[15] Ils l'ont fait, *they did.* The «l» refers to the phrase «reproduire les mouvements des animaux.»
[16] La vue, *vision.*

[17] Aménager, *to put in order, to fix up.*
[18] Un lieu, *a place.*
[19] Un gouffre, *an abyss.*
[20] L'alpinisme, *mountain climbing.*
[21] L'attrait, *attraction.*
[22] Le fond, *the bottom.*
[23] Dégringoler, *tumbling.*

　　—Y a-t-il des avalanches souterraines?

　　—Bien sûr. Vous avez visité des cavernes, n'est-ce pas?

　　—Oui, deux ou trois fois, en Amérique, l'espèce de caverne où l'on paie un dollar à l'entrée, des cavernes avec
5 électricité, ascenseurs, ponts pour ne pas se mouiller[24] les pieds, souvenirs à vendre, etc.

　　—Vous savez en tout cas que les cavernes sont très humides. L'eau s'infiltre[25] constamment à travers[26] le sol, forme des poches,[27] des cours d'eau souterrains. Le moindre choc[28]
10 suffit parfois à provoquer[29] une inondation. Lorsqu'on est suspendu à une corde, il est peu plaisant de recevoir tout à coup sur la tête une cataracte, accompagnée de terre et de pierres.

　　—J'en suis sûr! Mais sans parler de ces surprises désa-
15 gréables, qu'est-ce que vous découvrez au cours de vos explorations? Je ne vois pas bien l'attrait de ce sport.

　　—Quelquefois on voit des spectacles extraordinaires qui vous donnent l'impression d'être dans un palais enchanté. J'ai vu des stalactites et des stalagmites de toute beauté,
20 blanches comme la neige ou colorées des nuances les plus délicates. Vraiment, Bill, tout y est primordial, silencieux et pur.

　　—Trouvez-vous trace de vie au fond de vos cavernes?

　　—Oui, une flore et une faune bizarres,[30] des mousses
25 étranges,[31] des poissons sans yeux, sans compter bien entendu les chauves-souris[32] qui sont les hôtes ordinaires des caver-

---

[24] Se mouiller, *get wet.*
[25] S'infiltre, *trickles.*
[26] A travers, *through.*
[27] Forme des poches, *collects in pockets.*
[28] Un choc, *a blow, knock,* or *bump.*
[29] Provoquer, *to cause...*
[30] Note that «bizarres» is plural to agree with *flora* and *fauna* which are both singular.
[31] Des mousses étranges, *strange mosses.*
[32] Une chauve-souris, *a bat.*

nes... Devinez ce qui, un jour, à plusieurs centaines de pieds sous terre, m'a littéralement frappé de terreur?

— Je ne sais pas, moi. Un monstre préhistorique? Un dinosaure oublié qui s'avançait lentement en vous regardant avec de petits yeux méchants?

— Pas du tout, un vulgaire lapin[33] qui a pris la fuite[34] à mes pieds... J'avais si peur que j'ai failli tomber[35] dans une mare.

— Qu'est-ce que ce lapin faisait là?

— Je suppose qu'il était venu passer l'après-midi à la fois[36] au frais et à l'abri des chasseurs.

— Allez-vous écrire un livre sur vos explorations souterraines? Vous devriez le faire. Les livres de ce genre sont toujours à la mode.

— Je n'y ai pas pensé... Mais voulez-vous venir avec moi la prochaine fois que j'explorerai une caverne?

— Non, merci. Vous me faites penser à un de mes amis en Amérique, skieur émérite[37] et spécialiste du saut[38] à haute altitude. Je ne suis, moi, ni l'un ni l'autre.[39] «Cela ne fait rien,» m'a-t-il expliqué, «sautez tout de même. Une fois qu'on est parti,[40] ça va tout seul, il n'y a plus moyen de s'arrêter.» Je lui ai répondu que c'était là précisément ce qui me gênait.[41] En ce qui concerne l'exploration des cavernes, mon cher ami, j'attendrai avec impatience votre premier livre à ce sujet.

---

[33] Un vulgaire lapin, *a common rabbit.*
[34] A pris la fuite, *took flight.*
[35] J'ai failli tomber, *I almost fell* lit. *I failed to fall).*
[36] A la fois au frais et à l'abri, *both where it was cool and where he was safe.*

[37] Emérite, *highly skilled.*
[38] Le saut, *jumping.*
[39] Ne...ni l'un ni l'autre, *neither* (lit. *neither the one nor the other).*
[40] Partir, *to start.* Here it means, of course, *get into the air.*
[41] Gêner, *to bother.*

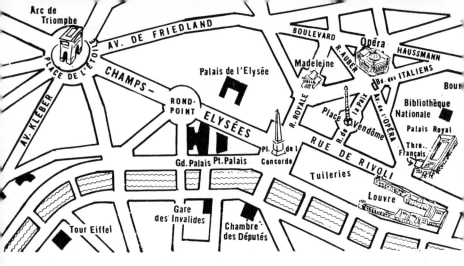

XXIII

Le Vieux Paris

    — Je n'ai pas besoin de vous annoncer que Paris est une très belle ville, dit Ann à Bill, un après-midi qu'elle traverse avec lui le Jardin des Tuileries.[1] Vous le savez mieux que moi. Mais n'êtes-vous pas étonné de voir combien Paris,
5 qui a été bâti[2] à toutes les époques, forme un ensemble agréable et homogène? Qu'est-ce que vous en pensez, vous qui êtes architecte et spécialiste d'urbanisme?[3]

    — Il faut avouer qu'on trouve bien çà et là à Paris, des rues, des quartiers même qui n'offrent pas grand intérêt.

---

[1] Le Jardin des Tuileries is a beautiful park with formal gardens extending along the Seine from the Louvre to the Place de la Concorde — almost a kilometer in length.

[2] Bâtir, *to build.*

[3] L'urbanisme, *city planning.*

[4] L'aménagement, *planning.*

[5] Le Palais du Louvre, *the Louvre.* The palace of kings and emperors is now used to house parts of the government and an immense collection of works of art.

[6] La Place de la Concorde: See p. 91, note 12.

Mais toute la partie centrale, qui est pourtant la plus ancienne, est un chef-d'œuvre d'aménagement.[4] Considérez
l'endroit où nous sommes en ce moment. Le Palais du
Louvre,[5] le Jardin des Tuileries, la Place de la Concorde,[6]

l'avenue des Champs-Elysées,[7] avec, dans le lointain, l'Arc
de Triomphe,[8] constituent, à mon avis, une des Sept Merveilles du monde actuel. Le plus étrange,[9] c'est que tout cela
a été aménagé à différentes époques, sans plan préétabli.
5 C'est le résultat d'un travail de construction et de démolition qui a duré quatre cents ans. Vous savez comment Paris
s'est développé, n'est-ce pas?

— Plus ou moins. Je sais qu'avant l'arrivée des Romains,
la petite île au milieu de la Seine, maintenant l'Ile de la
10 Cité était occupée par les huttes[10] d'une tribu gauloise,[11]
les Parisii; que les Romains ont donné à cet endroit le nom
du Lutèce et ont construit dans le voisinage quelques monuments[12] qui existent encore en partie; puis que peu à peu,
devenue Paris, la ville s'est étendue sur les deux rives de la
15 Seine.

— C'est ça. Vous savez que l'âge d'un arbre est indiqué
par une série de cercles concentriques, dont chacun représente la croissance[13] d'une année. Eh bien, Paris a grandi
un peu de la même manière. A mesure que[14] la ville s'est
20 développée, on l'a entourée de plusieurs enceintes[15] succes-
sives. Mais on n'a pas toujours démoli immédiatement les
vieilles fortifications. Vous connaissez peut-être la vieille rue
qui descend du Quartier Latin vers la Seine et qui porte
le joli nom de *rue Monsieur le Prince?*

25 — Mais oui. J'ai remarqué ce nom l'autre jour, en allant
chez mon libraire.

— Pour aménager cette rue, au temps de Louis XIV, on
a démoli une vieille muraille flanquée de tours, qui faisait
partie des fortifications construites au moyen âge. Imaginez
30 la joie des enfants qui pouvaient grimper sur ces vieilles
tours, et aussi l'inquiétude de leurs mères.

—Est-ce que toutes les fortifications de Paris ont maintenant disparu?

—Complètement. Devenus inutiles, murs et châteaux forts[16] ont été démolis. La Bastille a été détruite à la suite de la fameuse journée du 14 juillet. Les fortifications plus 5 modernes ont été remplacées par des boulevards. C'est ainsi que les grands boulevards actuels suivent à peu près la ligne des murs qui protégeaient la partie nord de Paris au dix-septième siècle.

—Voulez-vous dire qu'au temps de Louis XIV Paris ne 10 s'étendait pas au delà[17] de la ligne actuelle des grands boulevards?

—A peine. A côté de la Porte Saint-Denis, que vous avez remarquée sur les grands boulevards, il y avait encore des moulins à vent et des fermes. Bien entendu, la Place de la 15 Concorde et l'avenue des Champs-Elysées n'existaient pas à ce moment-là. On a commencé a aménager la Place de la Concorde seulement au dix-huitième siècle.

[7] L'avenue des Champs-Elysées: a broad avenue connecting two of the handsomest monumental squares in Paris.

[8] The Triumphal Arch is impressive both by its size (approximately 133 ft. high) and its decoration. It was planned by Napoleon as a memorial to the armies of the Empire but it was completed long after Napoleon's death and has become a sort of symbol of the French national honor.

[9] Le plus étrange, *the most surprising thing.*

[10] Les huttes, *huts.*

[11] Une tribu gauloise, *a tribe of Gauls.*

[12] The only considerable traces of Roman building in Paris are the Baths, adjoining the Cluny Museum, and the Arena and Theatre, near the famous Jardin des Plantes.

[13] La croissance, *the growth.*

[14] A mesure que, *as.*

[15] Une enceinte, *walls around a city.*

[16] Un château fort, *a fortified castle.*

[17] Au delà de, *beyond.*

—N'est-ce pas sur cette place que, pendant la Révolution, se dressait[18] la guillotine?

—Oui, c'est là que pendant plusieurs mois, on a exécuté
des aristocrates, et aussi des gens qui ne l'étaient pas.[19] C'est
5 pour effacer tous ces mauvais souvenirs qu'on a donné plus
tard à cette place le nom de la Place de la Concorde.

—La guillotine est un étrange moyen d'établir la concorde...

—Ici, près du Louvre, continue Bill, nous sommes plus
10 ou moins dans le Paris des rois de France. Là-bas, autour
de l'Arc de Triomphe, on est plutôt dans le Paris de Napoléon. C'est lui qui a eu l'idée de bâtir un beau monument
à sa gloire personnelle. L'arc de triomphe est au centre
d'une espèce d'étoile[20] formée par douze belles avenues qui
15 portent les noms de ses victoires ou de ses généraux. D'où[21]
le nom Arc de Triomphe de l'Étoile[22]... Naturellement,
tout cela a beaucoup changé depuis le temps de Napoléon.

—Est-ce que Napoléon a rapporté d'Egypte l'obélisque
que nous voyons là-bas?
20 —Mais non! Le vice-roi d'Egypte l'a offert à Louis-
Philippe en 1831. Vous voyez que cette partie de Paris est
moins ancienne que quelques quartiers de Boston ou de
Philadelphie.

—J'ai entendu dire qu'un certain Haussmann a embelli
25 Paris. Qu'est-ce qu'il a fait?

—C'est lui qui, en qualité de préfet de la Seine il y a cent
ans, a fait de Paris une ville vraiment moderne. Avant lui,

---

[18] Se dressait, *stood.*
[19] The «l'» refers to «aristocrates.»
[20] Une étoile, *a star.*
[21] D'où, *hence* (lit. *from where*).

[22] There is a smaller arch called
the Arc de Triomphe du Car-
rousel between the Louvre and
the Jardin des Tuileries.

«N'est-ce pas sur cette place que, pendant la Révolution, se dressait la guillotine?»

certains quartiers de la ville étaient encore un dédale[23] de
rues étroites et tortueuses. On raconte qu'il a pris un plan
de Paris, une règle, et qu'avec cette règle il a tracé d'un
point à un autre une ligne droite, qui est devenue une
5 avenue nouvelle.

— Est-ce que Paris n'a pas changé depuis Haussmann?

— La ville s'est étendue dans tous les sens, bien entendu.
Mais le centre de Paris est resté à peu près le même, au
grand ennui de ceux qui ont maintenant à résoudre le
10 problème de la circulation parisienne. Un des coins de la
ville qui s'est le plus transformé est le voisinage de la tour
Eiffel.

— Mais la tour Eiffel est déjà assez vieille, n'est-ce pas?

— Elle a été bâtie à l'occasion de l'Exposition Universelle
15 de 1889. Un ingénieur français, Gustave Eiffel, a construit
alors cette tour, haute de trois cents mètres, comme un
monument à l'âge nouveau du fer[24] et de l'acier. La plupart
des visiteurs de l'Exposition l'ont trouvée admirable. D'autres ont déclaré que c'était une véritable horreur. Les pro-
20 testations sont devenues si nombreuses et si fortes qu'au
début du vingtième siècle on a été sur le point de démolir
la tour Eiffel. Ce qui l'a sauvée, c'est la découverte de la
T. S. F.[25] On y a établi un poste émetteur[26] puissant et, plus
récemment, un phare[27] pour avions.

25   — Qu'est-ce que les Parisiens en pensent maintenant?

— Leur point de vue a complètement changé. A l'heure
actuelle,[28] les esthètes eux-mêmes disent que la tour Eiffel

---

[23] Un dédale, *a labyrinth.*
[24] Le fer et l'acier, *iron and steel.*
[25] T. S. F., *radio.* (The letters stand
for « Télégraphie sans fil, » equivalent to "Wireless telegraphy."

[26] Un poste émetteur, *a sending
station.*
[27] Un phare, *a light-house.*
[28] A l'heure actuelle, *at present, at
the present time.*

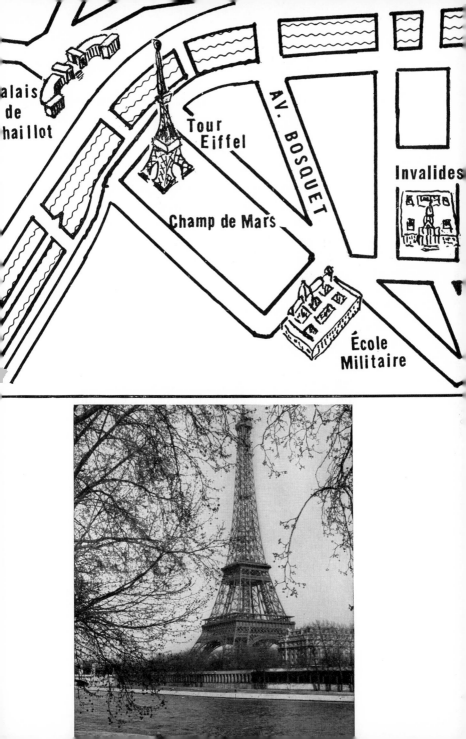

Palais
de
Chaillot

Tour
Eiffel

AV. BOSQUET

Invalides

Champ de Mars

École
Militaire

est une construction fort élégante. Elle fait d'ailleurs si bien partie du panorama parisien que sa disparition est presque inconcevable.

— Ma grand-mère est allée à une exposition à Paris, mais
5 ce n'est sûrement pas celle de 1889.

— Il y a eu plusieurs expositions près de la tour Eiffel sur le Champs-de-Mars.[29] Votre grand-mère est sans doute allée à celle de 1937. C'est à l'occasion de cette exposition qu'on a construit le beau Palais de Chaillot.

10 — Oh! je croyais qu'il était tout nouveau... J'y suis allée plusieurs fois voir des pièces[30] et assister aux concerts dans sa belle salle de spectacles souterraine.[31]

— Il y a là aussi un musée anthropologique fort intéressant. On l'appelle le Musée de l'Homme... Mais, pour
15 revenir à ce que nous disions, vous voyez comment s'est constitué un des plus beaux coins de Paris: à une extrémité du Champ-de-Mars, vous avez l'Ecole Militaire, bâtiment classique du dix-huitième siècle; à l'autre extrémité, la tour Eiffel, de la fin du dix-neuvième siècle; en face, sur l'autre
20 rive de la Seine, le Palais de Chaillot, bâtiment moderne — et ces trois constructions si différentes s'harmonisent pour constituer un ensemble extrêmement impressionnant...

— Vous avez bien fait d'avoir choisi Paris pour y faire vos études d'architecture urbaine.

25 — J'espère qu'un jour j'aurai l'occasion d'aménager en Amérique de vastes places comme la Place de la Concorde et le Champs-de-Mars.

[29] Another fine public park about one kilometer in length. The Champ-de-Mars (the Field of Mars) was formerly a drill ground.
[30] Une pièce, a play.
[31] The spacious underground theatre (la salle) is used for concerts and for the performances of the Théâtre National Populaire, a repertory theatre which attempts to give good performances of good plays at prices that anyone can afford.

XXIV

Conversation sur la Politique

—Qu'est-ce que les Français pensent de leur gouvernement? demande Bill à Raymond, un dimanche qu'ils passent
ensemble devant le Palais-Bourbon,[1] où se réunit l'Assemblée Nationale.

[1] Le Palais-Bourbon is the seat of the National Assembly. Situated on the Left Bank just across the river from the Place de la Concorde, its classical façade shows up to great advantage.

139

—La réponse n'est pas aisée, dit Raymond. Je ne suis pas «les Français,» vous savez. Si vous voulez pourtant une réponse, je vous dirai ceci: nous n'avons pas une grande admiration pour notre gouvernement, mais nous n'avons
5 pas non plus l'intention d'en changer[2]... Connaissez-vous la fable de la Fontaine:[3] «Les Grenouilles[4] qui demandent un roi?»

—Non; je connais quelques-unes des fables, mais pas celle-là.

10 —Voici l'histoire. Un jour, les grenouilles ont demandé un roi à Jupiter,[5] et Jupiter leur a envoyé une bûche qui, tombant du ciel,[6] a d'abord terrifié les grenouilles. Bientôt pourtant, celles-ci sont venues se plaindre[7] à Jupiter: le roi qu'il leur avait donné était inerte; elles désiraient un roi
15 un peu plus actif. Pour les punir, Jupiter leur a envoyé un héron, qui a commencé à manger ses sujets. Nouvelles plaintes des grenouilles. Leur nouveau roi était terrible. Mais Jupiter leur a seulement donné ce sage conseil:

De celui-ci contentez-vous,
De peur d'en rencontrer un pire.[8]

C'est un peu ce que, consciemment ou non, pensent un cer-
20 tain nombre de mes compatriotes.

—Ce point de vue me paraît discutable: si l'on se contente toujours de ce qu'on a, il n'y a pas de progrès possible... D'ailleurs, la France ne donne guère l'impression d'être un pays conservateur. D'après les journaux améri-
25 cains, vous avez, à l'Assemblée Nationale, des partis révolutionnaires puissants...

—Vous voulez parler[9] des communistes, par exemple?

—Oui, j'ai entendu dire qu'une proportion considérable des électeurs votent pour le Parti.[10]

— Mais Bill, il faut remarquer que beaucoup de ces électeurs ne votent pas *pour* quelque chose, mais *contre* quelque chose.

— Cela arrive quelquefois aussi aux Etats-Unis.

— En France on vote contre la vie chère,[11] contre les salaires malheureusement peu élevés, contre l'inégalité souvent choquante[12] des conditions d'existence. Je crois pourtant que l'immense majorité des Français est loin d'être extrémiste. Si une dictature communiste réussissait[13] à s'imposer, beaucoup de ceux qui ont voté pour le Parti seraient les premiers à protester contre elle.

— Il serait peut-être un peu tard pour protester...

— C'est là le danger. Cependant, s'il y a une forme de gouvernement que les Français détestent, c'est bien la dictature sous toutes ses formes. D'après la Constitution de la Quatrième République,[14] notre Président a très peu de pouvoir réel.[15]

— Je sais qu'il a beaucoup moins de pouvoir que le Prési-

---

[2] L'intention d'en changer, *the intention of changing it.* «En» is used (instead of «le») because the verb is «changer de.»

[3] La Fontaine (1621-1695) is one of France's best-loved poets.

[4] Une grenouille, *a frog.*

[5] Jupiter was the father and master of the pagan gods of Greece and Rome.

[6] Tombant du ciel, *falling from heaven.*

[7] Se plaindre, *to complain.*

[8] Un pire, *a worse one.*

[9] Vous voulez parler de, *you mean* (Compare: Vous voulez dire...).

[10] Le Parti, *the communist party.* Communists write the word with a capital P as if to suggest that it is *the* party; other people follow the custom with tongue in cheek.

[11] La vie chère, *the high cost of living.*

[12] Choquante, *shocking.*

[13] Réussissait, *succeeded.*

[14] The Fourth Republic was set up after World War II.

[15] Pouvoir réel, *real power.* The President of the Republic has a great deal of influence but very little power.

dent des Etats-Unis, répond Bill. Il n'en a peut-être pas
assez.

— Justement, Bill. On a limité son pouvoir, de peur qu'il
n'en ait[16] trop. Nous nous souvenons toujours de Napoléon
5 III, qui a profité de son élection à la présidence pour devenir empereur, par un coup d'Etat.[17]

— Est-ce pour cela aussi que vos ministres changent si
souvent?

— En partie au moins. Un ministre qui essaie d'accom-
10 plir des changements politiques, économiques ou sociaux
trop profonds n'est pas longtemps populaire.[18] Vous savez
que notre Assemblée Nationale est composée d'un certain
nombre de partis, qu'un ministère,[19] constamment responsable devant l'Assemblée, ne peut exister qu'avec l'appui
15 d'une espèce de coalition formée par plusieurs de ces partis.
Or, ces coalitions ne durent[20] jamais très longtemps. Des
divergences de vues ou d'intérêts[21] se développent, et c'est la
fin d'un ministère.

— Votre système est bien différent du nôtre...
20 — Sans aucun doute, Bill. Le vôtre ressemble au jeu de
football: vous avez deux grandes équipes, qui ont tous les
quatre ans un grand match pour lequel elles se préparent
soigneusement,[22] et l'équipe gagnante[23] est, pendant quatre
ans, l'équipe All-American... Notre système ressemble plu-
25 tôt à ces matches de lutte[24] où une douzaine de lutteurs
sont ensemble dans le ring.

— Est-ce que le public français n'est pas conscient des
inconvénients[25] de ce système?

— Certainement, qu'il en est conscient. Il s'en plaint tout
30 le temps. Mais il est aussi conscient de ses avantages. A
chaque instant de son existence[26] le gouvernement est obligé
de tenir compte[27] des aspirations du pays. D'ailleurs, on a

tendance à exagérer les inconvénients d'une instabilité
ministérielle qui est sans doute plus apparente que réelle.

— Avec tous ces changements de ministres, il me semble
que l'instabilité est bien réelle.

— Les ministres changent, mais l'administration reste. 5
Comme on l'a dit,[28] la France possède un corps suffisamment solide pour se permettre de vivre sans tête un mois
sur quatre.

— Cela explique beaucoup de choses. Mais chaque
changement de ministère amène un changement de poli- 10
tique, n'est-ce pas?

— Pas nécessairement. Remarquez qu'aux Affaires étrangères,[29] par exemple, nous gardons presque toujours les
mêmes hommes. Peut-être un peu par désir de justifier leur
système, certains Français disent même que notre politique 15
extérieure est plus stable que la vôtre.

— Tout de même, chez nous, la stabilité est à peu près
assurée, pendant quatre ans au moins.

[16] De peur qu'il n'en ait trop, *for fear that he might have too much (of it).*
[17] Louis-Napoléon Bonaparte, a nephew of Napoléon, elected President of the Second Republic in 1848, made himself Emperor (Napoléon III) in 1851.
[18] Populaire, *in favor.*
[19] Un ministère, *a ministry* or *cabinet* or *government.* «Un ministre» is a member of the cabinet.
[20] Durer, *to last.*
[21] Des divergences de vues ou d'intérêts, *differences of opinion or conflicting interests.*

[22] Soigneusement, *carefully.*
[23] L'équipe gagnante, *the winning team.*
[24] La lutte, *wrestling.*
[25] Un inconvénient, *a disadvantage.*
[26] Son existence, *its existence.* «Son» of course refers to the subject of the sentence.
[27] Tenir compte de, *take into account.*
[28] Comme on l'a dit, *as people have said.* The «l'» refers to the following clause.
[29] Aux Affaires étrangères, *in the Foreign Office.*

—Oui, mais qu'est-ce qui se passe au bout de[30] quatre ans? Un nouveau parti peut arriver au pouvoir, avec une politique étrangère sensiblement[31] différente. Je ne veux pas dire que notre gouvernement soit parfait, loin de là.[32] Je
5 crois pourtant qu'en réalité nos difficultés viennent de l'extrême complexité des problèmes actuels.

—Ces problèmes se posent pour tous les pays.

—Oui, mais surtout pour la France. Aux Etats-Unis, par exemple, vous n'avez pas de territoires en Asie et en Afrique
10 qui réclament leur indépendance. Vous n'avez pas de problèmes économiques et sociaux aussi graves que les nôtres. Si nous avons parfois beaucoup de difficulté à nous mettre d'accord sur une solution, il faut reconnaître que cette solution est souvent difficile. Lisez-vous quelquefois les comptes-
15 rendus[33] des séances à l'Assemblée Nationale?

—Rarement, je l'avoue.

—Je comprends cela, car, après tout, il ne s'agit pas directement de vos affaires. Si vous lisiez ces comptes-rendus, vous verriez que les arguments donnés pour ou contre une
20 mesure proposée sont d'ordinaire intelligents, et même pertinents.[34] La plupart de nos hommes d'Etat sont des gens fort capables.

—Je n'en doute pas, Raymond. Ne pensez-vous pas, cependant, que votre pays, que j'aime d'ailleurs beaucoup,
25 montre parfois un certain défaut[35] de discipline, au moins dans sa politique?

—Sans doute. Mais pensez-vous à ce que perdrait le monde, si les Français devenaient tout à coup un peuple discipliné? Dans notre monde actuel, tout hérissé[36] de dic-
30 tatures, il me semble que la liberté d'esprit[37] devient un vertu de plus en plus admirable...

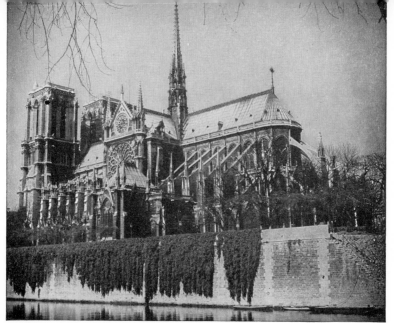

XXV

La Cathédrale de Notre-Dame de Paris

—Cette vieille cathédrale[1] qui se reflète si paisiblement dans la Seine a plus de sept cents ans, dit Bill à Jack, un

[30] Au bout de, *after* (lit. *at the end of*).

[31] Sensiblement, *noticeably, perceptibly.*

[32] Loin de là, *far from it* (lit. *far from there*).

[33] Un compte-rendu, *a report* (lit

an account rendered).

[34] Pertinent, *to the point.*

[35] Un défaut, *a lack.* The word often means *fault.*

[36] Hérissé de, *bristling with.*

[37] La liberté d'esprit, *freedom of the mind, independence.*

jour· qu'ils font une de leurs promenades habituelles.
Pensez-y un peu: on était en train de la construire à l'époque
où le roi Jean sans Terre[2] accordait à ses sujets la Grande
Charte[3]... Cela fait penser à la brièveté de la vie humaine,
5 n'est-ce pas?

— Les siècles semblent avoir passé sur elle sans l'affecter
le moins du monde, répond Jack. Au moins, elle porte bien
son âge,[4] comme on dit.

— Ne vous y trompez pas,[5] explique Bill. Bien que très
10 solidement construites, les cathédrales ont toujours besoin
d'être entretenues,[6] réparées. Elles représentent un admirable équilibre de forces que, fatalement,[7] le temps détruit
peu à peu.

— En effet, regardez cet échafaudage[8] à gauche. On est
15 en train de réparer une des tours.

— Les hommes ont été quelquefois plus destructeurs encore que le temps, continue Bill. La vieille cathédrale a
traversé bien des périodes critiques au cours de sa longue
histoire.

20   — Quand, par exemple?

[1] This famous cathedral is regarded
as one of the finest examples of
Gothic architecture. Begun in
1163, it was completed in 1245.
[2] Jean sans Terre, *John Lackland.*
[3] La Grande Charte, *Magna Carta,*
the treaty by which King John
granted political and personal
liberty to the English barons on
June 15, 1215.
[4] Elle porte bien son âge, *she carries her age well* (Compare: *to
grow old gracefully).*

[5] Ne vous y trompez pas, *don't be
misled by it* [the fact that the
cathedral seems to be in good
condition].
[6] Entretenir, *to maintain, to keep
in condition.*
[7] Fatalement, *inevitably* (NOT *fa-
tally).*
[8] Un échafaudage, *scaffolding.*
[9] La galerie des Rois, *the gallery
of the Kings* [of biblical times].
[10] Juda et Israël were the two parts
of Palestine.

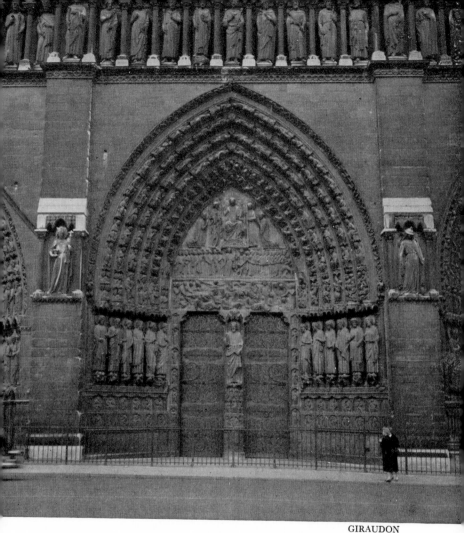

GIRAUDON

— Vous voyez, sur la façade, cette longue ligne de statues qu'on appelle la galerie des Rois? [9]

— Oui. Mais je dois avouer que j'ai souvent passé par ici sans la remarquer.

— Eh bien, la Révolution française a brisé toutes ces [5] statues. C'étaient, il est vrai, des rois de Juda et d'Israël, [10]

mais c'étaient des rois tout de même et la Révolution détes-
tait les rois...

—Vous voulez dire que les statues actuelles sont modernes.

5   —Oui, elles ont été refaites au dix-neuvième siècle,
comme beaucoup d'autres.

—Mais dites-moi Bill, comment les gens du moyen âge
ont-ils pu bâtir un édifice aussi imposant, avec les moyens
limités dont ils disposaient?[11]

10   —Ils avaient quelques machines, des leviers[12] et des
poulies.[13] Surtout, ils avaient l'enthousiasme, la patience, et
ils travaillaient sous la direction de maîtres très habiles dans
leur art.

—Ces maîtres devaient[14] être en effet de merveilleux
15 architectes.

—Mais non, dit Bill, il n'y avait même pas d'architecte,
au sens moderne du mot. Pendant quelques années, un
maître expérimenté était plus ou moins chargé de la direction du travail, puis un autre lui succédait.[15] Ainsi chaque
20 époque, presque chaque homme a apporté sa contribution
originale à l'œuvre commune.

—Je ne vois pas comment, dans ces conditions, une
cathédrale comme Notre-Dame peut présenter une telle uni-
formité d'inspiration.

25   —C'est que tous les maîtres travaillaient suivant certains
principes de structure, suivant des procédés éprouvés[16] et
consacrés par l'usage.[17] Contrairement à ce qu'on croit souvent, rien n'était laissé à la fantaisie[18] dans la construction
d'une cathédrale. Le symbolisme des cathédrales avait ses
30 règles précises, dont les détails étaient fixés par l'Eglise. De
sorte que[19] chaque détail était à sa place dans l'ensemble.

Tout en parlant, Jack et Bill sont arrivés devant le portail[20] central de Notre-Dame.

— Regardez par exemple cette scène du Jugement dernier,[21] continue Bill. C'est une scène que l'on retrouve dans

[11] Dont ils disposaient, *which they had at their disposal.* «Disposer de» never means *to dispose of.*

[12] Un levier, *a lever.*

[13] Une poulie, *a pulley.*

[14] Devaient être, *must have been.*

[15] Lui succédait, *succeeded him, took his place.*

[16] Suivant des procédés éprouvés, *according to methods which*

have been tested.

[17] Consacrés par l'usage, *ratified by [long] usage.*

[18] La fantaisie, *the [passing] fancy [of individual builders].*

[19] De sorte que, *so that.*

[20] Le portail, *the door* (Compare: *portal*).

[21] Le Jugement dernier, *the Last Judgment.*

toutes les grandes cathédrales gothiques. Au bas,[22] vous avez
la Résurrection.[23] Voyez-vous les morts qui sortent de leur
tombe? Vous avez au-dessus la scène du Jugement, avec, au
centre, un ange[24] qui pèse les âmes dans sa balance.[25] A la
5 droite de l'ange sont placés les élus[26] qui lèvent les yeux au
ciel, tandis qu'à sa gauche d'horribles démons entraînent les
damnés en enfer.

    — La scène est curieuse, en effet, dit Jack.

    — Le plus curieux est que, parmi les damnés, continue
10 Bill, il y a souvent un roi, un évêque,[27] un moine, un
seigneur et un marchand.[28] Les constructeurs de cathédrales
semblent avoir été parfois de bons ironistes. Mais leur
principale préoccupation était d'instruire.

    — D'instruire qui? demande Jack.

15   — Tout le monde, les grands comme les petits. N'oubliez

---

[22] Au bas, *at the bottom.* The "story" of scenes in sculpture or cathedral windows begins at the bottom.

[23] La Résurrection. The scenes are often represented with the most stark realism: Gabriel blowing his horn, people coming out of their coffins, etc.

[24] Un ange, *an angel* [*The Archangel Saint Michel*].

[25] Qui pèse les âmes dans sa balance, *weighing souls in his balances.*

[26] Les élus, *the elect* (those chosen for Paradise).

[27] Un évêque, *a bishop.*

[28] The scene of the Last Judgment was depicted in many forms throughout the Middle Ages.

[29] Leur mettait sous les yeux, *put before them.*

[30] Each locality had its saint, often the object of a special cult.

[31] Comprendre quelque chose à, *to understand something (anything) about.*

[32] Qu'il y ait, *that there is.* «Ait» is a present subjunctive in a subordinate clause depending upon «Je ne crois pas.»

[33] La nef, *the nave.*

[34] La cire, *wax.*

[35] Les dalles de pierre, *stone paving blocks.*

[36] La hauteur de la voûte, *the height of the vault.*

[37] Les vitraux, *stained glass windows.* Les roses, *round cathedral windows.*

pas que la plupart de ces gens ne savaient pas lire. La sculpture des cathédrales leur mettait sous les yeux[29] les grands personnages et les grandes scènes de l'Ancien et du Nouveau Testament, ainsi que les saints qu'ils honoraient d'une dévotion particulière.[30]   5

— Comment ces gens qui ne savaient pas lire pouvaient-ils comprendre quelque chose au[31] symbolisme très compliqué des cathédrales?

— Les prédicateurs, dans leurs sermons, expliquaient ce symbolisme aux fidèles. Il y avait même des guides qui leur 10 montraient les scènes les plus importantes... Mais voulez-vous voir l'intérieur de Notre-Dame? Je ne crois pas qu'il y ait[32] de service en ce moment.

Après la brillante lumière du dehors, Jack a d'abord l'impression d'entrer dans la nuit. Peu à peu, ses yeux s'habi- 15 tuent à la demi-obscurité. Près de l'autel et dans des chapelles brûlent quelques cierges. La cathédrale est presque déserte. Çà et là, dans l'immensité de la nef,[33] il aperçoit des formes indistinctes, des gens qui prient. Une vague odeur de cire[34] et d'encens flotte dans l'air légèrement humide. Jack et 20 Bill marchent sans parler, lentement et avec précaution, car leurs pas résonnent sur les vieilles dalles de pierre.[35] Un geste de Bill attire l'attention de Jack sur la partie supérieure de la cathédrale. Ils admirent tous les deux la hauteur de la voûte,[36] la solidité des piliers, la belle lumière 25 colorée des vitraux[37] et des roses. Puis, après avoir fait le tour de la nef, les deux amis, toujours silencieux, ressortent dans la lumière du soleil.

*«Le dimanche, la moitié de la France regarde
l'autre moitié.»*

XXVI

Plaisirs et Distractions

—Les cafés de Paris sont toujours pour moi un objet d'étonnement, dit Bill à Jack, un soir qu'ils descendent le boulevard Saint-Michel. Aux Etats-Unis, nos bars ont souvent l'air de se cacher, comme s'ils avaient honte[2] d'exister. A l'intérieur, les gens parlent à voix basse, dans une demi- 5 obscurité. Ici, au contraire, les cafés sont brillamment illuminés. Pendant la belle saison, les gens s'installent[3] volontiers à la terrasse, où ils voient tout le monde et où tout le monde peut les voir.

—Le café occupe dans la vie des Français une place qu'il 10 n'occupe pas dans la nôtre, répond Jack. La plupart de ceux qui vont au café y vont moins pour prendre quelque chose que pour causer,[4] s'ils sont en groupe, pour lire ou pour regarder passer les autres, s'ils sont seuls. On a dit avec humour[5] que, le dimanche, la moitié[6] de la France 15 regarde l'autre moitié.

—Est-ce que ces gens-là n'ont rien de mieux à faire?

—Je parle du dimanche. En semaine, les Français travaillent tout autant[7] que nous. Mais, après la fermeture du magasin ou du bureau, ils vont volontiers passer une heure 20

---

[1] Distractions, *amusements.*

[2] Comme s'ils avaient honte, *as if they were ashamed.*

[3] S'installent, *sit down.* The difference between «s'asseoir» and «s'installer» is that the latter suggests getting comfortably set-tled with the intention of staying for a while.

[4] Causer, *to chat.*

[5] Humour: humor with an added touch of irony.

[6] La moitié, *half.*

[7] Tout autant que, *quite as much as.*

Café Boulevard Saint-Michel.

au café, avant de rentrer chez eux. Ils y trouvent une distraction, une détente.[8]

— L'habitude peut devenir dangereuse, dit Bill.

— Pas plus, au fond,[9] que celle des cocktails pris à la
5 maison. Dans un cas comme dans l'autre, c'est une question de modération. D'ailleurs, la coutume d'aller causer
au café est vieille de plusieurs siècles. Connaissez-vous le
Café Procope,[10] par exemple?

— Non.

10 — Déjà au dix-huitième siècle, ce café était célèbre
comme lieu de rendez-vous[11] des gens de lettres. Et vous
savez quelle place les cafés ont occupé, et occupent encore,
dans le développement des mouvements littéraires et artistiques, depuis[12] l'impressionnisme[13] jusqu'à l'existentialisme.[14]

— Vous parlez seulement de quelques cafés fréquentés
par les littérateurs et par les artistes. Cela n'explique pas
pourquoi tant de gens, qui ne sont ni l'un ni l'autre, ont
l'habitude d'aller passer une heure ou deux au café.

— C'est que le café est en réalité un aspect de la vie 5
sociale française, explique Jack. On y parle de tout, d'affaires, de politique, de sport, selon les intérêts de chacun.
On y est au premier rang[15] pour observer le spectacle tantôt
tragique tantôt comique de la vie d'une grande ville.

— Ce genre de distraction paraîtrait étrange à la plupart 10
de nos compatriotes.

— Plaisirs et distractions sont sans doute, plus qu'on ne
le pense, une affaire du milieu où l'on vit.[16] Un Américain
qui, aux Etats-Unis, considérerait qu'il perd son temps[17]
s'il passait une heure assis à la terrasse d'un café, est charmé 15
de pouvoir le faire lorsqu'il est ici. Vous me direz que rien
n'est plus naturel, puisqu'il est en vacances. Mais il y a
autre chose. A Paris, il se trouve dans un monde nouveau,
qui lui offre des plaisirs différents de ses plaisirs habituels,

[8] Une détente, *a relaxation.*

[9] Au fond, *really* (lit. *at the bottom*).

[10] Le Café Procope is on the rue de l'Ancienne Comédie on the Left Bank and boasts of having had as customers such personages as Voltaire, Diderot, Danton, Robespierre, Musset, George Sand, and many others. It dates from the 17th century.

[11] Comme lieu de rendez-vous, *as a meeting place.*

[12] Depuis... jusqu'à, *from...to.*

[13] L'impressionnisme was one of the most productive movements in French painting in the 19th century.

[14] L'existentialisme is a philosophy of existence which stresses the importance of man as a being in the world — as opposed to the world itself or physical objects. It is a sort of humanism.

[15] On y est au premier rang, *there, one has a front row seat.*

[16] Où l'on vit, *where you live.* «L'on» is often used instead of «on» after the word «où» or «si.»

[17] Il perd son temps, *he is wasting his time.*

qui le libère[18] de ses soucis et aussi des contraintes de sa vie quotidienne.[19]

— C'est peut-être en effet une des raisons pour lesquelles les étrangers se plaisent[20] tant à Paris, continue Bill. Mais
5 ne trouvez-vous pas que quelques-uns d'entre eux ont tendance à abuser de l'espèce de libération[21] dont vous parlez?

— J'avoue que quelquefois je ne suis pas trop fier de la conduite de certains de mes compatriotes, répond Jack. Ils sont une infime[22] minorité, mais malheureusement ils réussissent
10 à créer une mauvaise impression. Je n'aime pas voir, par exemple, de jeunes Américaines, même jolies, se promener en *blue-jeans* le long de l'Avenue de l'Opéra. Les Français attachent une importance peut-être exagérée[23] à ce qu'ils appellent *la tenue*.[24] Néanmoins,[25] il faut respecter les usages
15 du pays où l'on est.

— Je ne veux certes pas justifier la conduite des gens dont vous parlez, dit Bill. Tout de même, il faut comprendre que les peuples diffèrent les uns des autres[26] par leurs

---

[18] Qui le libère, *which sets him free* (Compare English: *liberate*).

[19] Sa vie quotidienne, *his usual life* (lit. *daily*).

[20] Se plaisent à, *like* (lit. *are pleased at*).

[21] Abuser de l'espèce de libération, *to misuse the freedom* (lit. *the kind of freedom*).

[22] Infime, *extremely small.*

[23] Une importance peut-être exagérée, *a somewhat exaggerated importance.*

[24] La tenue, *dress, bearing, grooming,* etc. *"Appearance"* is the nearest English equivalent.

[25] Néanmoins, *nevertheless.*

[26] Les uns des autres, *from each other* (lit. *the ones from the others*).

[27] Par...et par..., *as to...and as to...*

[28] Eux non plus ne...pas, *THEY don't...either.*

[29] Que voulez-vous? *What do you expect?* or *After all!*

[30] Estimer, *approve, esteem.*

[31] Dans la mesure où, *in so far as, to the extent that.*

[32] Tel joueur, *such and such a player, a given player.*

[33] D'accord, *in agreement.*

habitudes et par leurs goûts.[27] Nous ne comprenons pas toujours les Français; mais eux non plus[28] ne nous comprennent pas toujours.

— Que voulez-vous,[29] Bill? Chaque peuple, comme chaque individu, a tendance à se considérer comme presque parfait 5 et à estimer[30] les autres dans la mesure où[31] ils se rapprochent de sa propre perfection.

— Je sais que les Européens ont l'habitude de nous reprocher notre matérialisme, notre amour exagéré des conforts de l'existence, notre recherche des plaisirs faciles, depuis 10 ceux de l'automobile jusqu'à ceux des jeux de football et de baseball.

— Personnellement, dit Jack, je refuse de considérer certains goûts et certaines habitudes comme supérieurs ou inférieurs à d'autres. Si nous glorifions peut-être trop tel[32] 15 joueur de football ou de baseball, je vous ferai remarquer qu'après tout certains athlètes étaient des héros de l'ancienne Grèce... Je ne suis pas sûr, d'ailleurs, que les Français ne s'intéressent pas aux sports autant que nous.

— Mais ils n'ont ni notre football ni notre baseball. 20

— C'est vrai; mais ils ont leur Tour de France... Je vais vous avouer quelque chose qui va peut-être vous surprendre.

— Quoi?

— Tout en admirant l'individualisme des Français, leur vivacité et leur originalité d'esprit, je n'ai jamais assisté à 25 un jeu de football sans admirer également notre esprit d'équipe, notre discipline volontaire, notre génie d'organisation qui sont parmi les grandes forces de notre pays.

— Je suis tout à fait d'accord,[33] dit Bill. Mais pour le moment, j'aimerais beaucoup m'asseoir à la terrasse de ce 30 café là-bas. Ne voulez-vous pas prendre quelque chose avec moi?

XXVII

Dans la Cuisine

—250 grammes[1] de fraises bien mûres,[2] 3 œufs, ½ litre[3] de sirop de sucre, ¼ de litre[4] de crème...

—Qu'est-ce que tu fais[5] là, maman? demande Jacqueline à sa mère, qui lit à haute voix une recette dans un livre de cuisine.

—Une mousse aux fruits[6]... C'est aujourd'hui le jour de congé[7] de la cuisinière, continue Mme Brégand en s'adressant à Bill. Je prépare le dîner en son absence. Quand

[1] 250 grammes are approximately equivalent to ½ pound. 1 kilogramme equals 1000 grammes, and weighs about 2.2 pounds.

[2] Fraises bien mûres, *thoroughly ripe strawberries.*

[3] Un demi-litre: approximately one pint.

[4] Un quart de litre, *one half-pint.*

[5] Qu'est-ce que tu fais? *what are you making?*

[6] Une mousse aux fruits: a frozen dessert of fruit and whipped cream.

[7] Le jour de congé, *the day off.*

[8] Auprès d'elle, *around her, with her.*

[9] A qui manquent...les occasions, *who has no chance* (lit. *to whom the chances to practice...are lacking.*)

[10] Comment vous y prendre, *how to go about it.*

[11] Une terrine, *an earthen-ware bowl.*

[12] Constater, *to observe, to verify.*

[13] The proverb means sometimes "You can't get something for nothing" or sometimes "You can't get anything done without stepping on someone's toes."

[14] Préalablement sautés au beurre, *previously cooked in butter.*

[15] Voir p. 545, *see page 545* (for directions on how to cook the mushrooms).

[16] Une poêle épaisse, *a heavy frying pan.*

[17] Versez dedans, *pour into it.*

[18] Laissez prendre, *let [it] cook.* «Prendre» often means *take.*

[19] La partie prise, *the cooked part.*

elle est ici, j'ose à peine entrer dans ma cuisine, car elle ne
tolère personne auprès d'elle.[8] J'adore pourtant faire la
cuisine, au moins une fois par semaine.

— Maman est une excellente cuisinière, à qui manquent[9]
seulement les occasions d'exercer son talent.   5

— Jacqueline, dit Mme Brégand, au lieu de te moquer
de ta mère, apporte-moi les œufs et les champignons.

— Qu'est-ce que tu vas nous faire?

— Une omelette aux champignons.

— Une omelette aux champignons? demande Bill. Je   10
voudrais bien savoir en faire une. Est-ce que c'est très
compliqué?

— Rien de plus simple, répond Mme Brégand. Vous
verrez tout à l'heure comment vous y prendre.[10] Mais,
comme il est toujours bon de joindre la théorie à la pra-   15
tique, lisez la recette dans ce livre de cuisine.

Bill prend le livre de cuisine, cherche au chapitre
«Œufs» et trouve la recette suivante:

Il faut des œufs et du beurre très frais. Pour quatre
personnes, prenez six ou sept œufs, cassez-les dans une terrine[11]...

— Je suis heureux de constater[12] la véracité du proverbe:
«On ne peut pas faire une omelette sans casser des œufs,[13]» 20
commente Bill, qui continue:

...salez, poivrez et battez bien avec une fourchette.
Ajoutez les champignons préalablement[14] sautés au beurre
(voir p. 545).[15] Placez ensuite dans une poêle épaisse[16] un
morceau de beurre gros comme une noix, faites-le bien
chauffer, puis versez[17] dedans vos œufs avec les champignons. Laissez prendre[18] un moment sur le feu, puis soule-
vez la partie prise[19] avec une fourchette pour faire glisser
les œufs qui ne sont pas encore pris. Le feu ne doit pas
être trop vif.

Cuisine d'un restaurant.

—Evidemment, le style[20] n'est pas très élégant, remarque Jacqueline. Mais enfin, c'est compréhensible...

Bill continue:

Lorsque l'omelette est à point,[21] repliez-la[22] avec une fourchette, de sorte[23] qu'il n'y ait plus que la moitié de la poêle d'occupée. Laissez une minute sur le feu. Placez l'omelette sur un plat chauffé et servez immédiatement.

—Etes-vous en train d'apprendre à faire la cuisine, Bill?
5 demande M. Brégand, qui arrive à ce moment.

—Vous savez qu'aux Etats-Unis les hommes se considè-rent volontiers[24] comme d'excellents cuisiniers, répond Bill.

Griller un bifteck en plein air est en général leur spécialité. Quand il s'agit de faire cuire[25] un bifteck, mon père se croit Vatel,[26] ni plus ni moins.[27]

— Ne dites pas de mal de votre père, Bill, ni de vos biftecks américains, dit M. Brégand. Lorsque j'étais aux Etats-Unis, 5 j'ai remarqué l'excellente qualité de votre viande. Par contre, j'ai eu du mal à accepter certaines de vos habitudes gastronomiques.[28]

— Lesquelles, par exemple? demande Bill en riant.

— Par exemple, on vous sert[29] tout un quartier de laitue 10 très dure qu'il faut manger sans y mettre le couteau, ce qui n'est pas très commode. Ou bien, on vous donne des fruits et des légumes incrustés dans une sorte de gelée sucrée, le tout recouvert[30] — incroyablement — de sauce mayonnaise.

— Mais la mayonnaise n'est-elle pas française d'origine? 15

— Assurément, mais elle s'accorde mal avec le goût du sucre. Et puis, il y a mayonnaise et mayonnaise. La vraie mayonnaise doit être préparée immédiatement avant d'être servie, et ne pas sortir toute faite d'un bocal[31]... L'histoire

[20] Le style, *the style [of the cookbook]*. Educated French people are always very conscious of this sort of thing.

[21] A point, *just right, cooked to a turn.*

[22] Repliez-la, *fold it over.*

[23] De sorte qu'il n'y ait plus que la moitié de la poêle d'occupée, *so that only half the pan will be occupied [any longer].*

[24] Se considèrent volontiers, *like to regard themselves.*

[25] Faire cuire, *to cook* (lit. *to cause to cook*). «Cuire» is an intransitive verb.

[26] Vatel, the cook of the Grand Condé. He committed suicide when the provisions did not arrive in time for a fine dinner his master was giving in honor of Louis XIV.

[27] Ni plus ni moins, *neither more nor less.*

[28] Vos habitudes gastronomiques, *your eating habits.*

[29] On vous sert, *they give you.*

[30] Le tout recouvert, *the whole thing covered.*

[31] Un bocal, *a glass jar.*

de cette illustre sauce est assez curieuse. C'est presque une page de l'histoire de France.

— Une page de l'histoire de France? demande Bill.

— Pendant la guerre de Sept ans,[32] explique M. Brégand,
5 le maréchal de Richelieu[33] est allé avec une flotte française, assiéger la ville de Port-Mahon, dans les Baléares.[34] Les assiégeants, dit-on, souffraient de la faim presque autant que les assiégés. La viande en particulier était si mauvaise que le maréchal a demandé à son cuisinier d'inventer une sauce
10 qui la rendît[35] mangeable. Le résultat fut cette sauce qu'on appela d'abord «mahonnaise» et qui, par corruption, est devenue la «mayonnaise.» Voilà l'histoire.

— Père, dit Jacqueline, tu as toujours une quantité d'information inutile. Avec[36] tout cela, je parie que tu ne pour-
15 rais pas préparer une sauce mayonnaise.

-- Ma foi non, avoue M. Brégand.[37]

[32] La guerre de Sept ans, 1756-63.

[33] Le maréchal de Richelieu, great nephew of the Cardinal de Richelieu who was prime minister under Louis XIII.

[34] Port-Mahon is the principal port of the island of Minorca.

[35] Qui la rendît, *which would make it.* «Rendît» is the imperfect subjunctive of «rendre.»

[36] Avec, *in spite of.*

[37] Mme Brégand and Jacqueline have given M. Brégand the impression that making mayonnaise requires the skill of a Vatel. If he had only looked in the cook-book, he would have seen that it is really very simple: "Place in electric mixer: the yolk of one fresh egg with ½ teaspoon of salt, a dash of cayenne, and, if you like it, ½ teaspoon of dry mustard. Add 1 tablespoon of tarragon vinegar and turn on mixer at medium speed. After a minute, add, bit by bit ¾ cup of olive oil which has been in ice-box for half an hour. When the oil has been thoroughly assimilated (about five minutes), add 1 tablespoon of lemon juice."

French people think it strange that we put mayonnaise on fruits and vegetables; they think it is appropriate only for such dishes as cold lobster, shrimps, salmon, chicken, or lean beef.

Six Fables
de
La Fontaine

[Jean de La Fontaine (1621-1695) was one of the greatest and best-loved French poets. Although most of the stories contained in his fables are as old as the hills, the fables themselves are full of originality, charm and wit. In order to appreciate fully their subtlety and variety, it is necessary to read them many times and with the greatest possible attention.]

LA GRENOUILLE QUI SE VEUT FAIRE AUSSI GROSSE QUE LE BŒUF. Fable III

La Grenouille qui se veut faire aussi grosse que le bœuf

Une Grenouille vit un Bœuf
Qui lui sembla de belle taille.
Elle, qui n'était pas grosse en tout comme un œuf,
Envieuse, s'étend, et s'enfle, et se travaille,
Pour égaler l'animal en grosseur,
Disant: «Regardez bien, ma sœur;
Est-ce assez? dites-moi; n'y suis-je point encore?
— Nenni. — M'y voici donc? — Point du tout. — M'y voilà?
— Vous n'en approchez point.» La chétive pécore
S'enfla si bien qu'elle creva.

Le monde est plein de gens qui ne sont pas plus sages:
Tout bourgeois veut bâtir comme les grands seigneurs,
Tout petit prince a des ambassadeurs,
Tout marquis veut avoir des pages.

The Frog who wants to make herself as large as an ox. TRANSLATION: A frog saw an ox which seemed to her of admirable size. So she, who was not all told as large as an egg, envious, spreads herself, inflates herself, and struggles to equal the animal in size. She says: "Look sharply, sister; is this enough? Tell me; am I not there yet?" "Nay, nay." "Now am I?" "Absolutely not." "Am I *now?*" "You are nowhere near it." The insignificant little animal blew herself up until she burst.

The world is full of people who are no wiser: every man in town wants to build a house which looks like those of great lords; every princeling has personal ambassadors, every marquis thinks he should have page boys.

LE CORBEAU ET LE RENARD. Fable II.

Le Corbeau et le renard

Maître Corbeau, sur un arbre perché,
Tenait en son bec un fromage.
Maître Renard, par l'odeur alléché,
Lui tint à peu près ce langage:
«Hé! bonjour, Monsieur du Corbeau.
Que vous êtes joli! que vous me semblez beau!
Sans mentir, si votre ramage
Se rapporte à votre plumage,
Vous êtes le phénix des hôtes de ces bois.»
A ces mots le Corbeau ne se sent pas de joie;
Et pour montrer sa belle voix,
Il ouvre un large bec, laisse tomber sa proie.
Le Renard s'en saisit, et dit: «Mon bon Monsieur
Apprenez que tout flatteur
Vit aux dépens de celui qui l'écoute:
Cette leçon vaut bien un fromage, sans doute.»
Le Corbeau, honteux et confus,
Jura, mais un peu tard, qu'on ne l'y prendrait plus.

The Crow and the Fox. TRANSLATION: Master Crow, perched in a tree, held a small cheese (*un fromage*) in its beak. Master Fox, attracted by the odor, addressed him somewhat as follows: "Hello! good morning My Lord de Crow. How pretty you are! how handsome you look to me! Truly sir (without lying), if your voice is on a par with your feathers, you are the Phoenix of the residents of these woods." At these words the Crow is beside himself with joy; and to show his beautiful voice, he opens his beak wide, lets his prize fall. The Fox seizes it and says: "My good sir, learn that every flatterer lives at the expense of the person who listens to him: this lesson is no doubt well worth a small cheese." The Crow, ashamed and embarrassed, swore (but a little late) that no one would catch him by flattery again.

LE LOUP ET LE CHIEN . Fable V.

Le Loup et le chien

Un loup n'avait que les os et la peau,
  Tant les chiens faisaient bonne garde.
Ce Loup rencontre un Dogue aussi puissant que beau,
Gras, poli, qui s'était fourvoyé par mégarde.
    L'attaquer, le mettre en quartiers,
    Sire Loup l'eût fait volontiers;
    Mais il fallait livrer bataille,
    Et le mâtin était de taille
    A se défendre hardiment.
    Le loup donc l'aborde humblement,
  Entre en propos, et lui fait compliment
    Sur son embonpoint, qu'il admire.
    «Il ne tiendra qu'à vous, beau sire,
D'être aussi gras que moi, lui repartit le Chien.
    Quittez les bois, vous ferez bien:
    Vos pareils y sont misérables,
    Cancres, haires, et pauvres diables,
Dont la condition est de mourir de faim.
Car quoi? rien d'assuré; point de franche lippée:
    Tout à la pointe de l'épée.
Suivez-moi: vous aurez un bien meilleur destin.»
  Le Loup reprit: «Que me faudra-t-il faire?
  — Presque rien, dit le Chien: donner la chasse aux gens
    Portant bâtons, et mendiants;
Flatter ceux du logis, à son maître complaire;
    Moyennant quoi votre salaire
Sera force reliefs de toutes les façons,
    Os de poulets, os de pigeons,
    Sans parler de mainte caresse.»
Le Loup déjà se forge une félicité
    Qui le fait pleurer de tendresse.

Chemin faisant, il vit le col du Chien pelé.

«Qu'est-ce là? lui dit-il. — Rien. — Quoi? rien? — Peu de chose.

— Mais encor? — Le collier dont je suis attaché

De ce que vous voyez est peut-être la cause.

— Attaché? dit le Loup; vous ne courez donc pas

     Où vous voulez? — Pas toujours; mais qu'importe?

— Il importe si bien, que de tous vos repas

     Je ne veux en aucune sorte,

Et ne voudrais pas même à ce prix un trésor.»

Cela dit, maître Loup s'enfuit, et court encor.

The Wolf and the Dog. TRANSLATION: The dogs kept such good guard (over the sheep) that a certain wolf had nothing but skin and bones. This Wolf meets a fat, sleek Mastiff, as powerful as he is handsome, which had strayed from his path by carelessness. To attack him and tear him to pieces, Sir Wolf would have gladly done it; but he would have had to fight it out, and the mastiff was built in such a way that he could defend himself boldly. So the Wolf comes up to him humbly, begins to talk, compliments him on his well-fed look — which he finds admirable. "It will be up to you, fair sir, answered the Dog, to be as fat as I am. Leave the woods behind. That will be a good thing for you: the likes of you, there, are pitiful bums, outcasts, and poor devils whose fate is to die of hunger. For really! nothing you can count on, no good free meals. You have to fight for everything you get. Follow me: you shall have a better fate." The Wolf answered: "What will I have to do?" "Almost nothing," said the Dog: "Give chase to people carrying sticks and to beggars; fawn upon the members of the household, please one's master. In return for which your pay will be many left-overs of all sorts: chicken bones, pigeon bones, to say nothing of many friendly pats." The Wolf is already imagining a state of happiness which makes him weep with delight. But as they were walking along, he saw the neck of the Dog where the hair had been rubbed off. "What's that?" he said to him. "Nothing." "What do you mean 'nothing'?" "Nothing much." "But still, what is it?" "The collar by which I am tied is perhaps the cause of what you see." "Tied?" said the Wolf; "then you don't run wherever you please?" "Not always; but what difference does it make?" "It makes so much difference that I will have none of your meals whatever, and would not even want a treasure at that price." Having said that, Master Wolf flees, and is still running [whenever he pleases].

Le Loup et l'agneau

La raison du plus fort est toujours la meilleure:
Nous l'allons montrer tout à l'heure.

Un Agneau se désaltérait
Dans le courant d'une onde pure.
Un Loup survient à jeun, qui cherchait aventure,
Et que la faim en ces lieux attirait.
«Qui te rend si hardi de troubler mon breuvage?
Dit cet animal plein de rage.
Tu seras châtié de ta témérité.
— Sire, répond l'Agneau, que Votre Majesté
Ne se mette pas en colère;
Mais plutôt qu'elle considère
Que je me vas désaltérant
Dans le courant,
Plus de vingt pas au-dessous d'Elle,
Et que par conséquent, en aucune façon,
Je ne puis troubler sa boisson.
— Tu la troubles, reprit cette bête cruelle;
Et je sais que de moi tu médis l'an passé.
— Comment l'aurais-je fait si je n'étais pas né?
Reprit l'Agneau; je tette encor ma mère.
— Si ce n'est toi, c'est donc ton frère.
— Je n'en ai point. — C'est donc quelqu'un des tiens
Car vous ne m'épargnez guère,
Vous, vos bergers, et vos chiens.
On me l'a dit: il faut que je me venge.»
Là-dessus, au fond des forêts
Le Loup l'emporte, et puis le mange,
Sans autre forme de procès.

La Fontaine is as popular today as in the seventeenth century. Compare the scenes from Jean Image's current movie cartoons with Oudry's engraving on the facing page.

The Wolf and the Lamb. TRANSLATION: The argument of the stronger (person) is always the one that wins: we shall demonstrate it at once. A Lamb was drinking in the current of a pure stream. A hungry Wolf comes along looking for adventure, attracted there by hunger. "What makes you so bold as to muddy my drink?" said that animal, full of fury. "You shall be punished for your temerity." "My Lord," replies the Lamb, "may your Majesty not get angry; but consider, rather, that I am drinking in the stream more than twenty paces down-stream from your Majesty; and that, consequently, I can not in any way be disturbing your Majesty's drink." "You *are* muddying it," said that cruel beast; "and I know that you slandered me last year." "How should I have done it if I was not born?" continued the Lamb; "I am still a sucking lamb." "If it wasn't you, it was your brother, then." "I haven't any." "Well, it was one of your people, for you do not exactly spare me — you, your shepherds, and your dogs. I have been told so! I must get vengeance." Thereupon, the Wolf carries him off to the depths of the forest and then eats him without any other sort of trial.

LE LOUP ET L'AGNEAU. Fable X.

La Mort et le bûcheron

Un pauvre bûcheron, tout couvert de ramée,
Sous le faix du fagot, aussi bien que des ans
Gémissant et courbé, marchait à pas pesants,
Et tâchait de gagner sa chaumine enfumée.
Enfin, n'en pouvant plus d'effort et de douleur,
Il met bas son fagot, il songe à son malheur.
Quel plaisir a-t-il eu depuis qu'il est au monde?
En est-il un plus pauvre en la machine ronde?
Point de pain quelquefois, et jamais de repos.
Sa femme, ses enfants, les soldats, les impôts,
  Le créancier et la corvée,
Lui font d'un malheureux la peinture achevée.
Il appelle la mort; elle vient sans tarder,
  Lui demande ce qu'il faut faire.
  «C'est, dit-il, afin de m'aider
A recharger ce bois; tu ne tarderas guère.»

  Le trépas vient tout guérir;
  Mais ne bougeons d'où nous sommes.
  Plutôt souffrir que mourir,
  C'est la devise des hommes.

Death and the Wood-cutter. TRANSLATION: A poor wood-cutter, entirely covered with branches, bent over and groaning under the weight of the fagot as well as (under the weight) of years, was walking with heavy steps and trying to reach his smoky little thatched cottage. Finally, completely exhausted by labor and grief, he puts down his fagot and thinks over his wretchedness. "What pleasure has he had since he has been in the world? Is there anyone more poverty-stricken in all the round earth? No bread sometimes, and never any rest. His wife, his children, the soldiers, taxes, the creditor, and unpaid work on the roads make of him a perfect picture of unhappiness." He calls Death. It comes without delay, and asks him what he wants done (Lit.: what it is necessary to do).

La Laitière et le pot au lait

Perrette, sur sa tête ayant un pot au lait
    Bien posé sur un coussinet,
Prétendait arriver sans encombre à la ville.
Légère et court vêtue, elle allait à grands pas,
Ayant mis ce jour-là, pour être plus agile,
    Cotillon simple et souliers plats.
    Notre laitière ainsi troussée
    Comptait déjà dans sa pensée
Tout le prix de son lait, en employait l'argent,
Achetait un cent d'œufs, faisait triple couvée;
La chose allait à bien par son soin diligent.
    «Il m'est, disait-elle, facile
D'élever des poulets autour de ma maison:
    Le renard sera bien habile
S'il ne m'en laisse assez pour avoir un cochon.
Le porc à s'engraisser coûtera peu de son:
Il était, quand je l'eus, de grosseur raisonnable;
J'aurai, le revendant, de l'argent bel et bon.
Et qui m'empêchera de mettre en notre étable,
Vu le prix dont il est, une vache et son veau,
Que je verrai sauter au milieu du troupeau?»
Perrette, là-dessus, saute aussi, transportée.
Le lait tombe: adieu veau, vache, cochon, couvée.
La dame de ces biens, quittant d'un œil marri
    Sa fortune ainsi répandue,
    Va s'excuser à son mari,
    En grand danger d'être battue.

He answers: "It is to help me get this wood back on my shoulders; it will take only a moment (Lit.: you will not delay much)."

Death comes to cure everything; but let us not stir from where we are. The guiding principle of man is: "It is better to suffer than to die."

The Milkmaid and the Milk jug. TRANSLATION: Perrette, with a milk jug carefully placed on a little cushion on her head, was expecting to arrive in town without any trouble. Dressed lightly and with a short skirt, she was walking with long strides, for, in order to be more agile, she had put on a simple garment and flat shoes. Our milkmaid, thus turned out, was already counting, mentally, all the money she was to get for her milk, was spending it, was buying a hundred eggs, was having three broods; and everything was going just fine thanks to her diligent care. "It is easy for me to raise chickens around my house," she said. "The fox will be very skilful if he does not leave me enough to buy a pig. It will take only a little bran to fatten the pig. When I got him, he was medium sized; but when I sell him — after fattening him up — I shall get real money for him. And what will prevent me from putting in our stable — when you think how much money I'll get for him — a cow and indeed her calf, which I shall see leaping around among the flock?" Thereupon, Perrette, carried away by her dream, also jumps... The milk falls: goodbye calf, cow, pig, chickens. The lady who owned all this property, leaving behind, with a sad eye, her fortune which had been spread out on the ground, goes to make her excuses to her husband — in great danger of being beaten (for her carelessness).

●

Questionnaires

I. ARRIVÉE À PARIS

1. Où le train transatlantique arrive-t-il? 2. Quelle est la nationalité de la majorité des voyageurs? 3. Y a-t-il beaucoup de Français? 4. Combien de personnes y a-t-il dans la famille américaine? 5. Pourquoi la jeune Française mariée à un Américain arrive-t-elle en France? 6. Qui est Bill Burgess? 7. Pourquoi vient-il en France? 8. Combien de valises porte-t-il? 9. Qu'est-ce que lui demande le chauffeur de taxi? 10. Pourquoi Bill est-il un peu vexé? 11. Quelle adresse donne-t-il au chauffeur? 12. Où le chauffeur place-t-il les valises de Bill? 13. Quand le taxi part-il? 14. Qu'est-ce qu'il y a dans la rue Saint-Lazare? 15. Est-ce que le chauffeur est très habile? 16. Quel monument Bill reconnaît-il? 17. Quand le taxi s'arrête, où le chauffeur dépose-t-il les bagages de Bill? 18. Qu'est-ce que Bill demande au chauffeur? 19. Combien Bill donne-t-il au chauffeur? 20. Où entre-t-il ensuite?

II. CHEZ Mme LANGE

1. Comment s'appelle la concierge? 2. Quel âge a-t-elle? 3. Où habite-t-elle? 4. Qu'est-ce que Bill lui dit? 5. Est-ce que Mme Lange Lange attend Bill? 6. A quel étage est l'appartement de Mme Lange? 7. Est-ce que l'ascenseur monte très rapidement? 8. A quelle porte sonne-t-il? 9. Qui ouvre la porte? 10. Comment Mme Lange reçoit-elle Bill? 11. Comment s'appelle le fils de Mme Lange? 12. Où est-il actuellement? 13. Quel monument Bill voit-il de son balcon?

177

14. Quelle est la profession de M. Lange?   15. Qui arrive avec les bagages de Bill?   16. Où Bill voit-il des enfants qui jouent? 17. Qu'est-ce que crie le vendeur de journaux?   18. Qu'est-ce que Bill va demander à Mme Arnaud?   19. Y a-t-il beaucoup de bons restaurants à Paris?   20. Est-ce que Bill est content d'être à Paris?

III.   UN   VIEIL   AMI

1. A quelle heure sonne-t-on à la porte de l'appartement? 2. Qui va ouvrir?   3. Est-ce que le jeune homme a l'air d'être Français?   4. Qu'est-ce qu'il demande à Mme Lange?   5. Qui est ce jeune homme?   6. Que dit Bill en ouvrant la porte? 7. Pourquoi Jack arrive-t-il si tard?   8. Les deux amis parlent-ils de leurs parents?   9. Jack connaît-il bien Paris?   10. Où étudie-t-il?   11. Où Jack propose-t-il à Bill d'aller dîner? 12. Pourquoi propose-t-il d'aller dans ce petit restaurant? 13. A quelle heure dîne-t-on d'habitude à Paris?   14. Quelle sorte d'auto Jack conduit-il?   15. Quand Jack aime-t-il dîner dehors?   16. Qu'est-ce que le garçon présente à Bill et à Jack? 17. Y a-t-il beaucoup de plats sur la carte?   18. Quelle espèce de vin Jack commande-t-il?   19. Que dit Jack à propos de la cuisine française?   20. Qu'est-ce qu'il propose de faire en sortant du restaurant?

IV.   SUR   LES   GRANDS   BOULEVARDS

1. Où Bill et Jack se promènent-ils?   2. Quel temps fait-il ce soir-là?   3. Y a-t-il beaucoup de touristes sur les boulevards? 4. Quelles nationalités est-il facile de reconnaître?   5. En quel mois sommes-nous?   6. Où les Parisiens passent-ils leurs va-

cances? 7. Les modes françaises sont-elles très différentes des modes américaines? 8. Quelle espèce de vêtements les femmes âgées portent-elles? 9. Tous les hommes portent-ils un chapeau? 10. Y a-t-il beaucoup de monde à la terrasse des cafés? 11. Quand la circulation commence-t-elle à diminuer? 12. Où vont alors les touristes? 13. Qu'est-ce qu'on voit dans les rues à une heure du matin? 14. Pourquoi la vie recommence-t-elle vers sept heures du matin? 15. Quelle espèce de monument est l'Opéra? 16. L'Opéra est-il ouvert tout l'été? 17. Quand les représentations recommencent-elles? 18. Pourquoi l'Opéra ferme-t-il en été? 19. Pourquoi Jack propose-t-il à Bill de rentrer? 20. Qu'est-ce que Bill pense de sa promenade?

V. DANS LE MÉTRO

1. A quelle station de métro Bill et Jack sont-ils? 2. Combien de classes y a-t-il dans le métro? 3. Pourquoi Jack achète-t-il des billets de première classe? 4. Que pense Bill du métro parisien? 5. Est-il difficile de trouver sa route dans le métro? 6. Qu'est-ce que Bill et Jack regardent? 7. Où peut-on acheter une petite carte du métro? 8. Est-ce que Bill connaît bien Paris? 9. Est-ce que le train s'arrête longtemps? 10. Comment les portes se ferment-elles? 11. Y a-t-il beaucoup de monde en seconde classe? 12. Pourquoi Bill est-il content d'être en première? 13. Quelle heure est-il? 14. Est-ce que les Parisiens vont beaucoup aux Folies-Bergère? 15. Quel est leur grand plaisir en été? 16. Est-ce que Bill est fatigué, après sa première journée à Paris? 17. Qu'est-ce que Jack lui dit, avant de descendre du métro? 18. Où Bill et Jack vont-ils ensuite? 19. A quelle heure se quittent-ils? 20. Qu'est-ce que Jack dit à son ami quand ils se quittent?

VI. UNE RENCONTRE

1. En quelle saison sommes-nous maintenant? 2. Dans quel quartier de Paris Bill se promène-t-il? 3. Y a-t-il beaucoup de libraires dans ce quartier? 4. Comment beaucoup de livres nouveaux sont-ils couverts? 5. Quelle indication portent-ils souvent? 6. Quel livre Bill regarde-t-il? 7. Qu'est-ce qu'il entend tout à coup? 8. Comment s'appelle la jeune Américaine? 9. Où Bill a-t-il fait sa connaissance? 10. Qu'est-ce qu'Ann Tilden fait à Paris? 11. Où ses parents habitent-ils maintenant? 12. Dans quelle université américaine est-elle étudiante? 13. Est-ce que les rencontres inattendues sont rares à Paris? 14. Pourquoi les touristes se rencontrent-ils souvent à Paris? 15. Dans quel jardin Ann et Bill entrent-ils ensemble? 16. Y a-t-il beaucoup de monde dans le Jardin du Luxembourg? 17. De quoi les deux jeunes gens parlent-ils? 18. Quand Bill va-t-il retourner à Philadelphie? 19. Quel est le nom de la famille française que connaît Ann Tilden? 20. Quel âge ont le fils et la fille de M. Brégand?

VII. UNE INVITATION

1. Quel jour est-ce aujourd'hui? 2. Où Ann et Bill sont-ils invités? 3. Où habitent les Brégand? 4. Comment Ann et Bill vont-ils chez les Brégand? 5. Où se trouve la maison des Brégand? 6. Qui sonne à la porte de la grille? 7. Qui vient à la rencontre des deux visiteurs? 8. Quel âge a M. Brégand? 9. Comment Ann lui présente-t-elle Bill Burgess? 10. Que répond M. Brégand? 11. Où sont la femme et la fille de M. Brégand? 12. Pourquoi Raymond n'est-il pas à la maison? 13. Est-ce que M. Brégand connaît les Etats-Unis? 14. Quand y est-il allé? 15. Quelles villes connaît-il aux Etats-Unis?

16. Quelle région des Etats-Unis désire-t-il visiter? 17. De quoi parlent-ils après le déjeuner? 18. Qui arrive, à la surprise générale? 19. Comment Raymond a-t-il reçu une permission de minuit? 20. Où les quatre jeunes gens décident-ils d'aller ensemble?

VIII. DE LA PLUIE ET DU BEAU TEMPS

1. Où les amis ont-ils passé la soirée ensemble? 2. Quel temps fait-il quand ils sortent du cinéma? 3. Depuis combien de jours pleut-il? 4. Est-ce qu'il fait toujours beau en Californie? 5. En quel mois de l'année sommes-nous? 6. Comment s'appelle la fête du commencement de novembre? 7. Quel est le climat de la France? 8. Qu'est-ce que c'est qu'un climat tempéré? 9. Pleut-il beaucoup à Paris pendant l'hiver? 10. Est-ce qu'il neige souvent? 11. Est-ce qu'Ann aime les sports d'hiver? 12. Où Jacqueline va-t-elle tous les ans faire du ski? 13. Où se trouve Nice? 14. Est-ce que l'hiver dure longtemps à Paris? 15. Quelles sont les quatre saisons de l'année? 16. Est-ce que le printemps est une saison agréable? 17. Quand les premiers signes du printemps apparaissent-ils? 18. Est-ce qu'il fait très froid à Paris en hiver? 19. Est-ce que les maisons sont aussi bien chauffées en France qu'en Amérique? 20. Est-ce que Bill a des vêtements chauds pour l'hiver?

IX. AUX HALLES

1. Où Jack propose-t-il à Bill d'aller faire un tour? 2. Qu'est-ce que c'est que les Halles? 3. Pourquoi sont-elles ouvertes toute l'année? 4. Connaissez-vous le Marché français de la Nouvelle-Orléans? 5. Comment Zola a-t-il appelé les Halles? 6. Depuis quand le marché existe-t-il? 7. Les

bâtiments des Halles actuelles sont-ils très vieux?   8. Pourquoi le commerce s'est-il développé dans le voisinage de la Seine? 9. A quelle heure Jack et Bill arrivent-ils dans le quartier des Halles?   10. Qu'est-ce qu'il y a dans les rues voisines du marché?   11. Où des hommes déposent-ils des paniers de légumes et de fruits?   12. Comment appelle-t-on ces hommes? 13. Y a-t-il beaucoup de jardins potagers dans la région autour de Paris?   14. Comment appelle-t-on cette région?   15. Quelles autres régions de la France envoient des légumes à Paris? 16. D'où viennent les légumes en hiver?   17. D'où arrive le poisson de mer?   18. Qu'est-ce que c'est que la Manche? 19. De quelles régions surtout vient la viande?   20. Connaissez-vous des possessions françaises d'outre-mer?

X. AUX HALLES
(SUITE ET FIN)

1. Où est le marché des légumes?   2. Où se vendent la viande et le poisson?   3. Y a-t-il beaucoup de monde à l'intérieur des bâtiments?   4. Pourquoi beaucoup de gens préfèrent-ils s'approvisionner aux Halles?   5. Quand arrivent les acheteurs des restaurants et des hôtels?   6. Qui arrive au cours de la matinée?   7. Est-ce que Bill connaît tous les poissons qu'il voit aux Halles?   8. Pourquoi les vendeuses de poisson sont-elles fameuses?   9. Quel privilège étrange ont-elles eu sous l'ancienne monarchie?   10. Quand ont-elles joué un rôle historique?   11. A quels animaux ressemble un sanglier? 12. Y a-t-il des sangliers in Amérique?   13. Quand voit-on des sangliers sur les marchés parisiens?   14. A quel moment la foule des acheteurs commence-t-elle à diminuer?   15. Y a-t-il beaucoup de monde aux Halles l'après-midi?   16. Qu'est-ce qu'on fait l'après-midi?   17. Où Jack propose-t-il d'aller dé-

jeuner? 18. Y a-t-il beaucoup de restaurants dans le quartier des Halles? 19. Pourquoi ces restaurants sont-ils d'habitude excellents? 20. Quel proverbe français exprime l'idée que les apparences sont souvent trompeuses?

XI. LES MARCHANDS DES QUATRE SAISONS

1. Y a-t-il beaucoup de vendeurs dans les rues de Paris? 2. Comment transportent-ils leurs produits? 3. Comment appelle-t-on ces vendeurs? 4. Où achètent-ils d'habitude leurs produits? 5. Qu'est-ce qu'ils vendent au printemps, en été et en automne? 6. Qu'est-ce qu'ils vendent en hiver? 7. Pourquoi Bill ne voit-il pas comment ils peuvent gagner leur vie? 8. Quelle est la population de Paris? 9. Quelle est surtout la clientèle des marchands des quatre saisons? 10. Est-ce que les ménagères françaises marchandent beaucoup? 11. Qu'est-ce que la vieille marchande offre à Bill? 12. Pourquoi Ann dit-elle à Bill de ne pas acheter de fleurs? 13. Qu'est-ce que vend l'Algérien? 14. Quelle fleur vend-on dans les rues de Paris le premier mai? 15. Pourquoi beaucoup de gens mettent-ils ce jour-là un petit bouquet de muguet à leur boutonnière ou sur leur corsage? 16. Quelles fleurs vend-on en hiver dans les rues de Paris? 17. Pourquoi les Parisiens aiment-ils beaucoup les fleurs? 18. Qu'est-ce que les Parisiens mangent en hiver au lieu de *popcorn?* 19. Avez-vous jamais mangé des marrons grillés? 20. Comment Bill trouve-t-il les marrons?

XII. CONSIDÉRATIONS SUR LA BICYCLETTE

1. Y a-t-il beaucoup de bicyclettes en France? 2. Est-ce que la bicyclette est seulement un sport pour les Français? 3. Pourquoi l'essence coûte-t-elle cher en France? 4. De quelles

régions l'essence est-elle importée? 5. Par qui l'automobile est-elle surtout utilisée? 6. Est-ce que la bicyclette est un moyen de transport très fatigant? 7. Est-ce que les gens transportent beaucoup de choses sur leur bicyclette? 8. Comment les garçons boulangers livrent-ils souvent leurs pains? 9. Qu'est-ce que c'est qu'un tandem? 10. Le tourisme à bicyclette est-il très commun en France? 11. D'où viennent les touristes? 12. Le camping est-il populaire en France? 13. Où beaucoup de jeunes touristes passent-ils la nuit? 14. Qu'est-ce qu'ils font le soir autour du foyer? 15. Où beaucoup de Parisiens vont-ils passer leurs vacances? 16. Comment les gens qui n'ont pas d'auto vont-ils en vacances? 17. Pourquoi emmènent-ils souvent leurs bicyclettes? 18. Qu'est-ce que Bill pense de cette habitude? 19. Qu'est-ce qu'il décide d'acheter? 20. Aimez-vous faire de la bicyclette?

XIII.   LE   TOUR   DE   FRANCE

1. Quel est, en France, le grand événement sportif de l'année? 2. A quoi M. Brégand compare-t-il le Tour de France? 3. Quand cette course a-t-elle lieu? 4. Quels pays sont représentés dans le Tour de France? 5. Où d'ordinaire commence et finit la course? 6. Y a-t-il beaucoup de spectateurs le long de la route? 7. Où ces spectateurs sont-ils particulièrement nombreux? 8. Quelles sont les étapes les plus intéressantes? 9. Combien d'étapes y a-t-il en tout? 10. Quelle est parfois la vitesse moyenne des coureurs? 11. Où les étapes sont-elles les plus courtes? 12. Quel coureur a le privilège de porter le maillot jaune? 13. Y a-t-il beaucoup de prix offerts aux coureurs? 14. Par qui ces prix sont-ils offerts? 15. Est-ce que le Tour de France est l'occasion de beaucoup de réclame? 17. Pourquoi les Italiens ont-ils récemment refusé de prendre

part au Tour de France? 18. Quel a été le résultat de leur refus? 19. Quelle est à peu près la distance du Tour de France? 20. Quelles villes des Etats-Unis sont séparées par la même distance?

XIV. LE BACHOT

1. Qu'est-ce que Bill et Raymond voient sur le boulevard Saint-Michel? 2. Que portent sur la tête beaucoup de jeunes gens? 3. Qu'est-ce qu'ils tiennent à la main? 4. Est-ce que c'est une manifestation communiste? 5. Comment appelle-t-on ces manifestations d'étudiants? 6. Pourquoi les étudiants organisent-ils des monômes? 7. Quel est l'âge moyen des candidats au baccalauréat? 8. Combien de parties l'examen comprend-il? 9. Quelle est d'ordinaire la proportion de ceux qui réussissent? 10. Combien de sessions du baccalauréat y a-t-il par an? 11. Y a-t-il seulement un examen écrit? 12. Combien de temps dure l'examen écrit? 13. Qu'est-ce que Raymond propose de faire? 14. Les examens oraux sont-ils ouverts au public? 15. Où ces examens ont-ils lieu? 16. Qu'est-ce que fait la jeune fille qui est au tableau noir? 17. Sur quelle pièce de Corneille l'examinateur questionne-t-il le candidat? 18. Que dit l'examinateur à la fin de l'examen? 19. Qu'est-ce que Bill pense de l'examen? 20. Quand les candidats connaissent-ils le résultat des examens?

XV. NOËL EN FRANCE

1. Quel jour a lieu la conversation entre Jacqueline et Bill? 2. Quel temps fait-il ce jour-là? 3. Où Jacqueline et Bill ont-ils cherché refuge? 4. A quelle heure la nuit tombe-t-elle à l'époque de Noël? 5. Pourquoi Bill pense-t-il à ses parents?

6. Quelles sont les couleurs traditionnelles de Noël? 7. Les Peaux-Rouges sont-ils populaires en Europe? 8. Pourquoi Jacqueline et Bill entrent-ils dans le Grand Magasin du Louvre? 9. Quels jouets y trouvent-ils? 10. Qu'est-ce que le Père Noël porte sur le dos? 11. Comment voyage-t-il? 12. Où les petits Français laissent-ils leurs souliers? 13. Qu'est-ce qu'ils placent souvent à côté de leurs souliers? 14. Est-ce que la tradition de l'arbre de Noël existe en France? 15. Qu'est-ce que c'est qu'une crèche? 16. Que représentent les santons de Provence? 17. Quand met-on la bûche de Noël dans la cheminée? 18. Est-ce que la tradition de Noël est une très vieille tradition? 19. Quel jour de l'année les petits Français trouvent-ils leurs plus beaux cadeaux? 20. Quel est le menu traditionnel du réveillon?

XVI. L'INDUSTRIE AUTOMOBILE

1. Où se trouvent les usines Renault? 2. Combien de voitures de tourisme produisent-elles par mois? 3. Quel est leur principal problème? 4. L'auto est-elle à la portée de la majorité des Français? 5. Quelle est la proportion des Français qui possèdent une auto? 6. Et des Américains? 7. Pourquoi l'auto est-elle nécessaire au cultivateur américain? 8. Où demeure d'ordinaire le cultivateur français? 9. Comment va-t-il d'ordinaire au village voisin? 10. Comment va-t-il d'ordinaire à la ville voisine? 11. En Europe, quel est le prix de la voiture idéale? 12. Connaissez-vous le nom de quelques autos françaises? 13. Est-ce qu'en France on compte les chevaux comme aux Etats-Unis? 14. Quels sont les avantages de la petite Renault? 15. Quels sont ses inconvénients? 16. Où est placé le moteur de beaucoup d'autos européennes? 17. Comment

s'appelle la grande exposition parisienne d'automobiles?
18. Quand a-t-elle lieu?   19. Cette exposition attire-t-elle beaucoup de visiteurs?   20. Existe-t-elle depuis longtemps?

XVII. LA CIRCULATION PARISIENNE

1. Sur quel problème d'actualité tombe la conversation?
2. Connaissez-vous la composition de George Gershwin, *An
American in Paris?*   3. Qui est M. Dubois?   4. A quoi a-t-il
décidé de faire appel?   5. Quel a été le résultat de cet appel?
6. Pourquoi le problème de l'embouteillage est-il particulièrement sérieux?   7. Quand Haussmann a-t-il fait aménager de
larges avenues?   8. Y avait-il des automobiles au temps
d'Haussmann?   9. Quels véhicules trouvait-on dans les rues au
dix-septième siècle?   10. Quand Louis XV était-il roi de
France?   11. Qui était M. d'Argenson?   12. Qu'est-ce que c'est
qu'un cabriolet?   13. Quelle mesure M. d'Argenson a-t-il prise?
14. A quel âge a-t-il fixé l'âge de raison pour les femmes?
15. Qu'est-ce que Jacqueline pense de M. d'Argenson?   16. A
quelle chanson populaire pense-t-elle?   17. Qu'est-ce qu'elle
pense du sentiment de supériorité qu'ont les hommes?
18. Que lui répond Raymond?   19. Savez-vous conduire une
auto?   20. Croyez-vous que les femmes conduisent aussi bien
que les hommes?

XVIII. EAUX MINÉRALES

1. Où Bill a-t-il invité à dîner M. et Mme Lange?
2. Qu'est-ce qu'il y a dans le parking?   3. Y a-t-il un bar à
l'intérieur du restaurant?   4. Que font les garçons?   5. Avec
qui dîne le jeune homme à la table voisine?   6. Que remarque

Bill? 7. Qu'est-ce qu'on lui a recommandé avant son départ des Etats-Unis? 8. Contre quelles maladies l'a-t-on vacciné? 9. Pourquoi des Français boivent-ils de l'eau minérale? 10. Connaissez-vous le nom d'une eau minérale célèbre? 11. Quel est le sens de l'expression «faire une cure?» 12. Que trouve-t-on dans les grandes stations thermales? 13. La plupart des gens prennent-ils leur cure très au sérieux? 14. Quel est le meilleur des remèdes pour la plupart des maladies? 15. Pourquoi beaucoup de gens vont-ils aux eaux? 16. Quel nom portent un certain nombre de stations thermales françaises? 17. Quelle explication de ce nom Bill propose-t-il? 18. Cette explication est-elle exacte? 19. D'où vient le nom «Bourbon?» 20. Quelle boisson Mme Lange propose-t-elle à Bill?

XIX. LE LONG DE LA SEINE

1. Quel pont Bill et Ann traversent-ils ensemble? 2. Est-ce que ce pont est réellement un pont «neuf?» 3. Quand a-t-il été construit? 4. Qu'est-ce qu'il y a au milieu du pont? 5. Où le cheval de la statue primitive a-t-il été fait? 6. De quelle époque date la statue actuelle? 7. Est-ce que la Seine est aussi large que le Mississippi? 8. Pourquoi les Parisiens aiment-ils beaucoup leur fleuve? 9. Les chansons populaires font-elles allusion à la Seine? 10. Où sont placées les boîtes des bouquinistes? 11. Qu'est-ce qu'on trouve chez les bouquinistes? 12. A quel livre Bill s'intéresse-t-il? 13. Quel conseil lui donne Ann? 14. Quels livres son oncle collectionne-t-il? 15. Pourquoi porte-t-il ses plus vieux habits quand il va chez les bouquinistes? 16. Combien Bill finit-il par payer son traité d'architecture? 17. Y a-t-il beaucoup de pêcheurs le long de

la Seine? 18. Est-ce qu'ils attrapent beaucoup de poissons?
19. Est-ce que ces pêcheurs sont des experts? 20. Alors, pourquoi n'attrapent-ils pas beaucoup de poissons?

XX. ANNIVERSAIRES

1. De quel livre de Jules Verne Bill parle-t-il? 2. Qui a adapté ce livre au cinéma? 3. Avez-vous vu le film de Walt Disney? 4. Quel est le nom du sous-marin dans le livre de Jules Verne? 5. Dans quelle ville de France a-t-on célébré le cinquantenaire de Jules Verne? 6. Est-ce que d'ordinaire en Amérique on célèbre l'anniversaire de la mort d'un personnage illustre? 7. Quels anniversaires sont célébrés chaque année en Amérique? 8. Quelle est la date de l'anniversaire de George Washington? 9. Les fêtes d'anniversaire sont-elles nombreuses en France? 10. Tous les gens dont on célèbre l'anniversaire sont-ils célèbres? 11. Y a-t-il des anniversaires purement locaux? 12. Comment a-t-on célébré l'anniversaire de Chopin? 13. Où se trouve la Bibliothèque Nationale? 14. Que trouve-t-on à la Bibliothèque Nationale? 15. Que fait-on souvent à l'occasion d'un anniversaire? 16. Y a-t-il beaucoup de bustes et de statues dans les villes de France? 17. Ces monuments sont-ils toujours des chefs-d'œuvre? 18. Que font fréquemment les journaux? 19. Qu'est-ce que de jeunes peintres ont placé un jour au Parc Monceau? 20. Pourquoi ont-ils placé cet écriteau?

XXI. RUES DE PARIS

1. Sur quel boulevard Bill et Raymond sont-ils? 2. Pourquoi Bill est-il déconcerté par certaines rues de Paris? 3. Y a-t-il beaucoup de rues de Paris dont le nom change tout à

coup? 4. Qu'est-ce que c'est qu'un *Indispensable?* 5. Comment s'explique souvent le changement de nom d'une rue? 6. Quand la Bastille a-t-elle été détruite? 7. Quel est l'avantage du système employé à New-York? 8. Ce système est-il employé pour toutes les rues de New-York? 9. Connaissez-vous une rue de Paris au nom très pittoresque? 10. Quelle est l'origine de ce nom? 11. Pourquoi une rue s'appelle-t-elle *rue Saint-Etienne?* 12. Quand vivait saint Etienne? 13. Où habitait-il? 14. Quels Américains célèbres ont une rue à Paris? 15. Qui était Raspail? 16. Quelle idée a Bill? 17. Quel est l'inconvénient de cette idée? 18. Où se trouve la *rue des Mauvais Garçons?* 19. Qui étaient peut-être ces mauvais garçons? 20. Dans quelle ville se trouvait la *rue des Corps Nus Sans Tête?*

XXII. UN SPORT INUSITÉ

1. Qu'est-ce que Bill voit un jour sur la table de Raymond? 2. Qu'est-ce que c'est que la spéléologie? 3. Ce sport est-il populaire en France? 4. Y a-t-il beaucoup de gens qui le pratiquent? 5. Comment descend-on dans les cavernes? 6. Qui Raymond a-t-il accompagné dans ses expéditions? 7. Y a-t-il beaucoup de cavernes en France? 8. Dans quelle région sont-elles particulièrement nombreuses? 9. Où Bill a-t-il vu les os de l'homme de Cro-Magnon? 10. Quand vivait l'homme de Cro-Magnon? 11. Pourquoi la région du Périgord est-elle célèbre? 12. Quels dessins trouve-t-on dans les cavernes préhistoriques? 13. Quel attrait offre l'exploration des gouffres? 14. Les accidents sont-ils fréquents? 15. Quel est le principal danger des explorations souterraines? 16. Quelles formations trouve-t-on souvent dans les cavernes? 17. Quelle faune y trouve-t-on? 18. Qu'est-ce qui, un jour, a frappé Raymond de

terreur? 19. Est-ce que Raymond a pensé à écrire un livre sur ses explorations? 20. Bill accepte-t-il l'offre que lui fait Raymond d'explorer une caverne?

XXIII. LE VIEUX PARIS

1. De quoi parlent Ann et Bill? 2. Quelle est la partie de Paris la plus ancienne? 3. Quels endroits célèbres sont dans la partie centrale? 4. Qu'est-ce que c'est que l'Ile de la Cité? 5. Quel est l'ancien nom de Paris? 6. A quoi Bill compare-t-il la croissance de Paris? 7. Les fortifications existent-elles toujours? 8. Par quoi les anciennes fortifications ont-elles été remplacées? 9. Quand a-t-on aménagé la Place de la Concorde? 10. Qui a fait bâtir l'arc de triomphe? 11. Pourquoi l'appelle-t-on l'Arc de Triomphe de l'Etoile? 12. Qui était Haussmann? 13. Quand la tour Eiffel a-t-elle été construite? 14. Pourquoi a-t-on été sur le point de la démolir? 15. Qu'est-ce qui l'a sauvée? 16. Quel palais a été construit en 1937? 17. Quelle sorte de salle de spectacle y a-t-il dans ce Palais? 18. Comment s'appelle le musée anthropologique du Palais de Chaillot? 19. Quelle espèce de bâtiment est l'Ecole Militaire? 20. Qu'est-ce que Bill espère avoir l'occasion de faire un jour?

XXIV. CONVERSATION SUR LA POLITIQUE

1. Où l'Assemblée Nationale se réunit-elle? 2. Est-ce que les Français sont satisfaits de leur gouvernement? 3. Quelle fable Raymond raconte-t-il? 4. Le parti communiste est-il puissant à l'Assemblée? 5. Contre quoi, par exemple, beaucoup de Français votent-ils? 6. Est-ce qu'ils aiment la dictature? 7. Le Président de la République a-t-il beaucoup de

pouvoir? 8. Est-ce que les ministres changent souvent? 9. Pourquoi changent-ils si souvent? 10. A quoi Raymond compare-t-il le système gouvernemental français? 11. Quel est l'avantage de ce système? 12. Chaque changement de gouvernement amène-t-il un changement de politique? 13. Les ministres des Affaires étrangères changent-ils souvent? 14. D'où viennent peut-être les principales difficultés du gouvernement? 15. Les problèmes économiques sont-ils aussi graves aux Etats-Unis qu'en France? 16. Pourquoi les Français ont-ils parfois de la difficulté à se mettre d'accord sur la solution d'un problème? 17. Bill lit-il souvent les comptes-rendus des séances de l'Assemblée Nationale? 18. La plupart des hommes d'Etat français sont-ils capables? 19. La France montre-t-elle parfois un certain défaut de discipline dans sa politique? 20. Cela n'a-t-il pas aussi un avantage?

XXV. LA CATHÉDRALE DE NOTRE-DAME

1. Est-ce que la cathédrale de Notre-Dame est très vieille? 2. Quand a-t-elle été construite? 3. Les cathédrales ont-elles souvent besoin d'être réparées? 4. Où Jack voit-il un échafaudage? 5. Est-ce que le temps est le seul élément destructeur? 6. Comment appelle-t-on la ligne de statues sur la façade? 7. Pourquoi l'appelle-t-on la galerie des Rois? 8. De quand datent les statues actuelles? 9. Quelles machines avaient les gens du moyen âge? 10. Y avait-il alors des architectes? 11. Qui était chargé de la direction du travail? 12. Quelle scène est représentée au portail central? 13. Retrouve-t-on cette scène dans d'autres cathédrales? 14. Que fait l'ange qui occupe le centre de la scène? 15. Quels personnages y a-t-il parmi les damnés? 16. Où sont placés les élus? 17. Quelle était la principale préoccupation des constructeurs

de cathédrales? 18. Quelle impression Jack a-t-il quand il entre dans la cathédrale? 19. Y a-t-il beaucoup de monde à l'intérieur? 20. Pourquoi Jack et Bill marchent-ils avec précaution?

XXVI. PLAISIRS ET DISTRACTIONS

1. Y a-t-il beaucoup de cafés à Paris? 2. Ces cafés sont-ils brillamment illuminés? 3. Où les gens s'installent-ils volontiers pendant la belle saison? 4. Pourquoi beaucoup de Français vont-ils au café? 5. Quand y vont-ils? 6. Est-ce que la coutume d'aller au café est nouvelle? 7. De quand date le Café Procope? 8. Les cafés occupent-ils une place importante dans la vie intellectuelle? 9. De quoi parle-t-on dans les cafés? 10. Quel spectacle peut-on y observer? 11. Ce genre de distraction est-il commun aux Etats-Unis? 12. Pourquoi beaucoup d'étrangers se plaisent-ils à Paris? 13. Est-il d'usage de se promener en *blue-jeans* sur l'Avenue de l'Opéra? 14. Quelle remarque fait Jack à propos des usages du pays où l'on est? 15. Les Américains comprennent-ils toujours les Français? 16. Qu'est-ce que les Européens reprochent parfois aux Américains? 17. Pourquoi Jack admire-t-il le football et le baseball? 18. Les Français s'intéressent-ils aux sports? 19. Quelles qualités Jack admire-t-il chez les Français? 20. Quelles qualités admire-t-il chez les Américains?

XXVII. DANS LA CUISINE

1. Où la scène se passe-t-elle? 2. Qu'est-ce que Mme Brégand est en train de faire? 3. Pourquoi prépare-t-elle le dîner? 4. Est-ce qu'elle fait souvent la cuisine? 5. Pourquoi dit-elle à

Jacqueline de lui apporter des champignons et des œufs?
6. Où Bill trouve-t-il la recette de l'omelette aux champignons?
7. Quel proverbe cite-t-il?   8. Quelle est en général la spécialité
des Américains qui font la cuisine?   9. Qu'est-ce que M. Brégand pense de la viande en Amérique?   10. Est-ce qu'il aime
la mayonnaise sur une gelée de fruits?   11. Pourquoi pas?
12. Quand doit-on préparer une mayonnaise?   13. Quand la
mayonnaise a-t-elle été inventée?   14. Où se trouve la ville de
Port-Mahon?   15. Pourquoi le maréchal est-il allé à Port-
Mahon?   16. La viande était-elle bonne?   17. Qu'est-ce que le
maréchal a demandé à son cuisinier?   18. Comment a-t-on
d'abord appelé cette sauce?   19. Comment ce nom est-il devenu
«mayonnaise?»   20. Est-ce que M. Brégand pourrait préparer
une mayonnaise?

Vocabulary

ABBREVIATIONS

abbr	abbreviation	*intrans*	intransitive
adj	adjective	*lit*	literally
adv	adverb	*m*	masculine
art	article	*n*	noun
* (asterisk)	aspirate h	*obj*	object
condl	conditional	*p part*	past participle
conj	conjunction	*pers*	personal
contr	contraction	*pl*	plural
dem	demonstrative	*poss*	possessive
f	feminine	*pr*	present
fut	future	*prep*	preposition
imper	imperative	*pron*	pronoun
imperf	imperfect	*rel*	relative
ind	indicative	*sg*	singular
inf	infinitive	*subj*	subjunctive
interrog	interrogative	*trans*	transitive

NOTE

We have included in the vocabulary practically all the forms of irregular verbs which occur in the text and of regular verbs used in the first half-dozen sketches. Likewise, we have listed all the words used in the book — even those whose form and meaning are identical in the two languages. The purpose of laboriously identifying forms and words which students "should know" is not to spare them the effort of analysis and study; but to speed up the process of learning to read, to give them as quickly as possible the know-how which can be got only by the actual experience of reading in the foreign language. To this end, we have used large numbers of words whose meaning can be figured out from the context or from similar English words. On the other hand, we have made it a point to use again and again the words which are for one reason or another difficult to remember, and, equally important, we have deliberately used words in two or more senses so that students will know from the beginning that the meaning of words often varies with the context.

A

a: il a *pr ind 3rd sg of* **avoir; il y
a** there is, there are
à at, in, into, to
abandonner to abandon, leave
abord: d'abord first; **tout d'abord**
first of all
abri *m* shelter; **à l'abri de** pro-
tected from
absence *f* absence; **en son absence**
in his absence
absolument absolutely; **voulait absolument** insisted on
abuser de to abuse, to take advantage, to use too freely
accablant(e) overwhelming
accepter to accept
accessoire *m* accessory
accident *m* accident
accompagner to accompany
accomplir to accomplish, to bring
about, to complete
accord: d'accord in agreement
accorder to grant; **s'accorder** to
agree; **s'accorder mal** to disagree
achat *m* purchase
achète *pr ind 3rd sg of* **acheter**
acheter to buy
acheteur *m* buyer
acier *m* steel
acquérir to acquire
acquis *p part of* **acquérir**
acquisition *f* acquisition
acte *m* act
acteur *m* actor
actif, active active, energetic
actualité *f* actuality; **actualités** current events

actuel(le) present day, of the present; **à l'heure actuelle** at present
actuellement at present
adaptation *f* adaptation
adapter to adjust; **s'adapter** to
adapt oneself
admettre to admit
administration *f* administration
admirable admirable, amazing
admirablement admirably
admiration *f* admiration
admire *pr ind 3rd sg of* **admirer**
admirer to admire
admis *p part of* **admettre**
admission *f* admission
adopter to adopt
adorer to adore, to LOVE
adresser: s'adresser à to speak to
affaire *f* affair (business); **ses affaires** his things; **aux Affaires
Etrangères** in the Foreign Office;
se tirer d'affaire to get along all
right
affecter to affect
affiche *f* sign
afficher to post
affluence *f* crowd
afin de in order to
Afrique *f* Africa
âge *m* age; **le moyen âge** the Middle Ages; **d'un certain âge** elderly
âgé(e) aged
agent: agent de police *m* police-
man
agir: s'agir de to be a question of;
il s'agit de it is a question of
agit: s'agit *pr ind 3rd sg of* **s'agir**
agrandir to become larger
agréable pleasant
ai: j'ai *pr ind 1st sg of* **avoir**

aide *f* aid, help; **à l'aide de cordes** with the help of ropes

aider to help

ailleurs elsewhere; **d'ailleurs** moreover, besides, any way

aimablement amiably, in a kindly manner

aimer to like, to love

ainsi thus; **ainsi de suite** and so on; **pour ainsi dire** so to speak; **ainsi que** as well as

air *m* air; tune; **avoir l'air** to look, seem; **en plein air** in the open air

aisé easy

ait *pr subj 3rd sg of* avoir

ajouter to add

Algérien *m* Algerian

alimentation *f* food

allais: j'allais *imperf ind 1st sg of* aller

Allemagne *f* Germany

Allemand *m* German

aller to go; **allez-y** go ahead, go there

aller et retour *round trip*

allez: vous allez *pr ind 2nd pl of* aller

allons *imper 1st pl of* aller

alors then, at that time

Alpes *f pl* Alps

alpinisme *m* mountain climbing

alsacien(ne) Alsatian

altitude *f* height, altitude

amant, amante sweetheart

amateur *m* amateur; lover of something

ambition *f* ambition

ambulant(e) itinerant

âme *f* soul

amélioration *f* improvement

aménagement *m* planning, laying out

aménager to arrange, to lay out, to open up; **faire aménager** to arrange

amener to bring about, to bring along

Américain(e) American; **américain(e)** *adj* American

Amérique *f* America

ami, amie friend

Amiens cathedral city north of Paris

amour *m* love

amphithéâtre *m* amphitheatre, lecture room

amusant amusing, funny

amuser to amuse; **s'amuser** to pass the time away, to have fun

an *m* year; **tous les ans** every year; **le jour de l'An** New Year's Day

ancêtre *m* ancestor

ancien(ne) former, old; **ancien camarade** old friend; **meubles anciens** antique furniture; **Ancien Testament** Old Testament

âne *m* donkey

ange *m* angel

Anglais *m* Englishman

angoisse *f* anguish

animal *m* animal, beast

animation *f* animation, bustle

année *f* year

anniversaire *m* anniversary

annonce *f* announcement

anthropologie *f* anthropology

août August; **le mois d'août** August

apercevoir to notice

aperçoit *pr ind 3rd sg of* apercevoir

v

apparaissent *pr ind 3rd pl of* apparaître

apparaître to appear

appareil *m* apparatus

apparemment apparently

apparence *f* appearance; à l'apparence prospère prosperous looking

apparent(e) apparent

appartement *m* apartment

appartenir à to belong to

appartient *pr ind 3rd sg of* appartenir

appel *m* appeal; faire appel à to appeal to

appeler to call

application *f* application

apporter to bring

apportez *imper of* apporter

apprécier to appreciate

apprendre à to learn to

approprié appropriate

approvisionner to supply; s'approvisionner to get one's provisions

appui *m* support

après after; d'après according to

après-midi *m or f* afternoon; l'après-midi in the afternoon

aquarium *m* aquarium

arbitrairement arbitrarily

arbre *m* tree

arc *m:* Arc de Triomphe Arch of Triumph

arcade *f* arcade

architecte *m* architect

architecture *f* architecture

argile *f* clay

argument *m* argument

aristocrate *m* aristocrat

aristocratique aristocratic

arrêt *m* stop; sans arrêt continually

arrête: il s'arrête *pr ind 3rd sg of* s'arrêter

arrêter to stop *(trans);* s'arrêter to stop *(instrans)*

arrière *m* the rear

arrivant *pr part of* arriver

arrive *pr ind 3rd sg of* arriver

arrivé *p part of* arriver

arrivée *f* arrival

arriver to arrive, to happen, to succeed

art *m* art; art de prédire skill in predicting

artère *f* arterial street

article *m* article

artificiel(le) artificial

artiste *m* artist

artistique artistic

ascenseur *m* elevator

Asie *f* Asia

aspect *m* aspect

asperge *f* asparagus

aspiration *f* desire

asseoir to seat; s'asseoir to sit down

assez enough, rather

assiégé *m* person besieged

assiégeant *m* person besieging

assiéger to lay siege to

assis *p part of* asseoir

assis(e) seated

assister à to attend, to be present at

associer to associate

assourdissant deafening

assurément surely

assurer to assure; to insure

athlète *m* athlete

atomique atomic

attacher to tie, to attach; mal attaché badly tied, poorly attached attarder: s'attarder to linger

atteindre to attain, to reach

atteint: il atteint *pr ind 3rd sg of* atteindre

attend *pr ind 3rd sg of* attendre

attendez *imper of* attendre

attendre to expect, to wait for

attention *f* attention; Attention! watch out!

attirer to attract

attrait *m* attraction

attraper to catch

au to the [*contracted form of* à + le]

auberge *f* inn; auberges de la Jeunesse Youth Hostels

aucun(e) any; sans aucun doute without any doubt

audace *f* boldness, daring

audacieux(se) bold, audacious

au-dessus above

augmenter to increase

aujourd'hui today

auparavant before

auprès de near, with

aussi also; aussi...que as...as; Aussi *(at beginning of sentence)* and so

autant as much, as many; autant que as much as; tout autant quite as much

autel *m* altar

auto *f* car; en auto by car

autobus *m* bus

automatique automatic

automatiquement automatically

automobile *f* car

automobile *adj* automotive

automne *m* autumn

autorité *f* authority; les autorités compétentes the responsible authorities

autour de around

autre other; vous autres Américains you Americans

autrefois formerly; d'autrefois of former times

Autriche *f* Austria

avalanche *f* avalanche

avancer: s'avancer to advance

avant before; avant tout above all; bien avant long before; avant *m* the front part

avantage *m* advantage

avec with

avenir *m* future

aventure *f* adventure; tenter l'aventure to try one's luck

avenue *f* avenue

avertir warn

avion *m* airplane

avis *m* opinion, advice; à mon avis in my opinion

avoir to have; avoir l'air de to have the appearance of, to look; avoir vingt ans to be twenty; avoir froid to be cold; il y a there is, there are; il y a dix ans ten years ago

avouer to admit, to confess

B

baccalauréat *m* examination at the end of the courses in "lycée"; the degree

bachot *m slang for* baccalauréat

bagages *m pl* baggage

baigneuse *f* bather; jolies baigneuses bathing beauties

balance *f* scales
balcon *m* balcony
Balzac great French novelist (1799-1850)
banlieue *f* suburbs
bar *m* bar
barbe *f* beard
baromètre *m* barometer
bas *m* base, bottom
bas, basse low
bâtiment *m* building
bâtir to build
battre to beat
bavardent *pr ind 3rd pl of* **bavarder**
bavarder to gossip
beau, belle, beaux, belles beautiful, handsome; **il fait beau** the weather is fine; **Beaux-Arts** Fine Arts
beaucoup (de) many, much
beauté *f* beauty; **de toute beauté** perfectly beautiful
bébé *m* baby
Belgique *f* Belgium
belle *f of* **beau**
béret *m* beret
berger *m* shepherd
besoin *m* need; **avoir besoin de** to need
beurre *m* butter
bibliothèque *f* library; **Bibliothèque Nationale** National Library
bicyclette *f* bicycle
bien *adv* well; many, a great deal; **Eh bien** Well; **bien que** although; **le bien** the good, wealth
bienfaisant beneficent
bientôt soon; **à bientôt** I'll see you soon
biftek *m* steak

billet *m* ticket; note; **billet de première classe** first class ticket
bison *m* bison
bizarre strange
blanc, blanche white
bleu, bleue blue
blond, blonde blond
bocal *m* glass jar
bœuf *m* beef, ox
boire to drink
bois *m* wood; **charbon de bois** charcoal; **Bois de Boulogne** park in Paris
bois: je bois *pr ind 1st sg of* **boire**
boisson *f* drink
boîte *f* box; **boîte de nuit** night club
boivent: ils boivent *pr ind 3rd pl of* **boire**
bon, bonne good
bonbon *m* candy
bonjour good morning, good afternoon
bonne *f* housemaid
bord *m* edge, side
border to border
bouche *f* mouth
bouchon *m* cork, floater
bouger to move, to budge
boulanger *m* baker; **un garçon boulanger** a baker's delivery boy
boulevard *m* boulevard; **les Grands Boulevards** one of the principal streets in the center of Paris
bouquet *m* bouquet, corsage
bouquiniste *m* dealer in old books
bourgeoisie *f* upper middle class
bourse *f* scholarship, fellowship; **avec une bourse Fulbright** on a Fulbright fellowship

bout *m* end; **au bout de** at the end of, after
bouteille *f* bottle
boutique *f* shop
bouton *m* button
boutonnière *f* button-hole
branche *f* branch
bras *m* arm
bravement bravely
bravoure *f* bravery, gallantry
bref in short
Bretagne *f* Brittany
brièveté *f* brevity
brillamment brilliantly, brightly
brillant(e) brilliant, bright
briser to break
brouillard *m* fog
bronze *m* bronze
bruit *m* noise
brûler to burn
brun(e) dark complexioned, brunette
bûche *f* log
bureau *m* office
buste *m* bust
buvez: vous buvez *pr ind 2nd pl of* **boire**

C

c' *see* **ce**
ça *see* **cela**
çà: çà et là here and there
cabaret *m* cabaret
cabinet *m* small room; **cabinet de travail** study
cabriolet *m* two-wheeled buggy
cacahuète *m* peanut
cacher: se cacher to hide
cadeau *m* gift
café *m* coffee; café, bar

caisse *f* box
calcaire *m* limestone
calculer to calculate
calendrier *m* calendar
calme calm, quiet
camarade *m* comrade, friend
camion *m* truck
camionnette *f* light-truck
campagne *f* country; **à la campagne** in the country; **campagne de presse** newspaper campaign
camping *m* camping
candidat *m* candidate
canne *f* cane; **canne à pêche** fishing pole
canon *m* cannon, gun
capable able, capable
capitaine *m* captain
capitale *f* capital
caporal *m* corporal
car for, because
caractère *m* character, nature
carotte *f* carrot
carrosse *m* carriage
carte *f* map; menu; **carte des vins** wine card
cas *m* case; **en tout cas** in any case
casino *m* casino
casser to break; **se casser le cou** to break one's neck
cataracte *f* cataract
cathédrale *f* cathedral
cause *f* cause; **à cause de** because of
causer to talk, chat; to cause
caverne *f* cavern
ce it
ce, cet, cette that, this; **ces** those, these; **ce...-ci** this, that; **à cette heure-ci** at this time

ceci *demon pron* this
cela, ça *demon pron* that; **c'est ça** that's it; **ça va?** How goes it? çà et là here and there
célèbre famous
célébrer to celebrate
celle *see* celui
celles-ci *see* celui-ci
celui *m* celle *f* ceux *m pl* celles *f pl* the one, the ones; **celui-ci, celle-ci** this one, the latter
cent a hundred; **pour cent** percent
centaine *f* a hundred
central central
centre *m* center; **le Centre** the central part of France
cependant however
ce que which *(object)*
ce qui which *(subject)*
cercle *m* circle
cérémonie *f* ceremony
cerise *f* cherry
certain(e) certain; **d'un certain âge** elderly
certainement certainly
certes certainly
ces *see* ce
cesser to cease, stop
ceux *see* celui
chablis Chablis, a white Burgundy wine
chacun(e) each one
chahut *m* noise; **faire du chahut** to make an uproar
chaise *f* chair; **chaise pliante** folding chair
chaleur *f* heat
chambre *f* room; **chambre à coucher** bedroom

champagne *m* Champagne, sparkling wine from Champagne
champignon *m* mushroom
chance *f* luck; **vous avez de la chance** you are lucky; **quelle chance** what luck
change *pr ind 3rd sg of* changer
changement *m* change; **changement politique** political change
changer (de) to change; **changer de ligne** to change lines
chanson *f* song
chansonnier *m* street singer
chanter to sing
chapeau *m* hat
chapelle *f* chapel
chaque each
charbon *m* coal; **charbon de bois** charcoal
charge *f* load
chargé de charged with, in charge of
charger to load
charmant(e) delightful, charming
charmé(e) delighted
chasseur *m* hunter
chat *m* cat; **pas un chat** not a soul
château *m* castle, château; **château fort** fortified castle
chaud(e) hot
chauffage *m* heating
chauffer to heat
chauffeur *m:* **chauffeur de taxi** taxi driver
chauve-souris *f* bat
chef *m* leader; **chef de troupe** scout leader
chef-d'œuvre *m* masterpiece
chemin *m* way, road
cheminée *f* chimney, fireplace

cher, chère dear

chercher to look, to look for; **vient chercher** comes for; comes to get

cheval, chevaux *m* horse(s), horse-power

chevalier *m* knight

cheveux *m pl* hair; **elle a les cheveux gris** she has grey hair

chez at the shop of; **chez tous les libraires** at all the book dealers'; **chez nous** at our house, in our country

chic stylish; nice; **chic type** a wonderful fellow

chiffre *m* number, figure

chimie *f* chemistry

chimique chemical

chirurgical surgical

choc *m* shock, blow

chœur *m* chorus

choisir to choose; **bien choisi** appropriate

choix *m* choice

choquant(e) shocking

chose *f* thing; **quelque chose** something; **autre chose** something else; **pas grand'chose** nothing much

chou(x) *m* cabbage

chrétien(nne) Christian

chrysanthème *f* chrysanthemum

chute *f* fall, spill

-ci *see* ce

ci: **par ci par là** here and there

ciel *m* sky

cierge *m* candle

cinéma *m* movies

cinq five

cinquantaine about fifty; **la cinquantaine** the fiftieth anniversary, the fiftieth year

cinquante fifty

circonstance *f* circumstance

circulation *f* traffic

cire *f* wax

clair clear, well lighted

classe *f* class

client(e) customer

clientèle *f* customers

climat *m* climate

coalition *f* coalition

coca-cola *m* coca-cola

cœur *m* heart; **en plein cœur** right in the heart

coin *m* corner

collection *f* collection

collectionner to collect

collège *m* college

collègue *m* colleague

coloré(e) colored

combatif (ve) pugnacious

combattant *m* combatant; **ancien combattant** veteran

combien? how much? how many? **combien de temps?** how long?

Comédie-Française *f* French repertory theater in Paris

comique comic

comme as, like

commémoratif(ve) commemorative

commencent *pr ind 3rd pl of* commencer

commencer à to begin, commence

commencez *imper of* commencer

comment? how? **Comment ça va?** How goes it? How are you?

commerçant *m* merchant; *adj* commercial

commerce *m* business

commercial(e) commercial

commode convenient

commodité *f* convenience
commun(e) common
communication *f* communication
communiste *m* communist
compagnie *f* company
comparer to compare
compatriote *m* fellow countryman
compenser to make up for, to compensate for
complètement completely
complexité *f* complexity
composé (de) made up (of)
composer to compose
composition *f* composition
compositeur *m* composer
compréhensible comprehensible
comprendre to understand; to include
comprends: je comprends *pr ind 1st sg of* **comprendre**
comprenez: vous comprenez *pr ind 2nd pl of* **comprendre**
compris *p part of* **comprendre; y compris** including
compte *m* account; **tenir compte de** to take into account
compter to count; **sans compter** without counting
compte-rendu *m* account
concentrique concentric
concerner to concern; **en ce qui concerne** as for, as far as...is concerned
concert *m* concert
concierge *f* janitress
conclure to conclude
conclut *pr ind 1st sg of* **conclure**
concorde *f* peace
concurrence *f* competition
concurrent *m* competitor

condition *f* condition; **dans ces conditions** in these circumstances; **conditions d'existence** living conditions; **à condition que** if
conduire to drive; to conduct, to lead, to take
conduit *pr ind 3rd sg of* **conduire**
conduite *f* conduct
confesser to confess
confort *m* comfort
confortable comfortable
confrère *m* colleague
confusion *f* confusion
congé *m* leave; **jour de congé** day off
conjugal conjugal; **l'union conjugale** married life
connais: je connais *pr ind 1st sg of* **connaître**
connaissance *f* acquaintance; **faire leur connaissance** meet them
connaissent *pr ind 3rd pl of* **connaître**
connaisseur *m* connoisseur, judge (of food)
connaît *pr ind 3rd sg of* **connaître**
connaître to know, to be acquainted with
connu *p part of* **connaître**
conquête *f* conquest
consacrer to consecrate; **consacré par l'usage** accepted by usage
consciemment consciously
conscient(e) conscious
conseil *m* advice, counsel; **sages conseils** wise advice
conseille *pr ind 3rd sg of* **conseiller**
conseiller to advise
conséquent: par conséquent consequently, therefore

conservateur(trice) conservative
conserver to keep, to preserve *(trans);* se conserver to keep, to be kept
considérable considerable
considérablement considerably
considération *f* consideration
considéré *p part of* considérer
considérer to consider
consister to consist
consoler to console
consommation *f* consumption
consommer to use
constamment at all times, constantly
constater to note
constituer to constitute
constitution *f* constitution
construire to build
construit *p part of* construire
consulter to consult
contagieux(euse) contagious
contemporain *m* contemporary
contenir to contain
content(e) happy, glad
contenter: se contenter to be content
contenu *p part of* contenir
conteur *m* story teller
continu(e) continual
continue *pr ind 3rd sg of* continuer
continuer to continue
continuité *f* continuity
contour *m* outline, circuit
contrainte *f* restraint
contraire contrary
contrairement à contrary to
contraste *m* contrast
contravention *f* police ticket; dresser une contravention give a ticket

contre against; par contre on the other hand; le pour et le contre the pros and the cons
contribuer à to contribute to
contribution *f* contribution
convaincu convinced
conversation *f* conversation
copieusement copiously
Corneille French dramatist (1606-1684)
corps *m* body
correspondance *f* connection
correspondre to correspond
corruption *f* corruption
corsage *m* blouse
cosmopolite cosmopolitan, international
costume *m* costume
côte *f* slope, climb, coast; la Côte d'Azur the Riviera; côte à côte side by side
côté *m* side; du côté de on the side of; à côté de beside
côtelette *f* chop
cou *m* neck
coucher: se coucher to go to bed, to lie down
couler to flow
couleur *f* color
coup *m* blow; coup d'Etat seizing of power; un coup d'œil a glance; tout à coup suddenly
coupable guilty
cour *f* court, yard
courage *m* courage
coureur *m* racer
cours *m* course; au cours de in the course of; en cours de route in its course; cours d'eau water course

course *f* race
court(e) short
couteau *m* knife
coûter to cost
coûteux(euse) expensive
coutume *f* custom
couvent *m* convent
couvert *p part of* couvrir
couverture *f* cover
couvrir to cover
cow-boy *m* cowboy
crabe *m* crab
crèche *f* manger, crèche
créer to create
crème *f* cream
crie *pr ind 3rd sg of* crier
crier to cry, to shout
critique critical
croire to believe, to think; je crois
　bien I should say so; se croire to
　believe oneself to be
crois: je crois *pr ind 1st sg of*
　croire
croissance *f* growth
croyais: je croyais *imp ind 1st sg of*
　croire
croyez: vous croyez *pr ind 2nd pl*
　of croire
cruauté *f* cruelty
crudité *f* crudity, crudeness
cuisine *f* kitchen; cooking
cuisinière *f* cook; kitchen stove
cultivateur *m* farmer
cure *f* treatment; faire une cure
　follow a treatment
curieux(se) arresting, curious
curieusement inquiringly; strange-
　ly
curiosité *f* curiosity; curio

cycliste *m* cyclist; course cycliste
　bicycle race
cynique *m* cynic

D

dalle *f* paving stone
damné *m* damned; accursed
dancing *m* night club
danger *m* danger
dangereux(se) dangerous
dans in, into; dans quelques jours
　within a few days; dans les 1400
　dollars in the neighborhood of
　$1400
davantage more
de of; from; du, de la, des of the;
　from the; some
debout standing
début *m* beginning
décembre December
décide *pr ind 3rd sg of* décider
décider to decide
déclarer to declare
déconcertant disconcerting
décor *m* setting, scenery
décoration *f* decorations
décoré decorated; wearing a ribbon
découverte *f* discovery
découvrir to discover
dédale *m* labyrinth
dedans within, therein
défaire: se défaire de to get rid of
défaut *m* lack; default
définition *f* definition
dégringolade *f* tumble
dehors *m* outside
déjà already
déjeuner to lunch, to have lunch;
　m lunch, luncheon
delà: au delà de beyond

Delacroix French painter of Romantic period (1798-1863)

délicat(e) delicate, subtle

délicieux(euse) delightful; delicious

demain tomorrow

demande *pr ind 3rd sg of* **demander**

demander to ask; **se demander** to wonder

demeure *f* dwelling

demeurer to live

demie *f* half

demi-obscurité *f* semi-darkness

demoiselle *f* girl

démolir to tear down, to demolish

démolition *f* demolition

démon *m* demon

démonstration *f* demonstration

démontrer to prove, to demonstrate

départ *m* departure

dépasser to exceed, to pass; **qui a dépassé la cinquantaine** who is over fifty

dépêcher: se dépêcher to hurry

dépêchons-nous *imper 1st pl of* **se dépêcher**

dépend *pr ind 3rd sg of* **dépendre**

dépendre to depend

dépose *pr ind 3rd sg of* **déposer**

déposer to deposit, to place, to put down

depuis since; **qui est depuis longtemps** which, for a long time has been; **depuis...jusqu'à** from... to

dernier, dernière last

dès as early as

des of the [*contracted form of* **de** + **les**]

désagréable disagreeable

descendent *pr ind 3rd pl of* **descendre**

descendre to go down, to unload, to get off; to take down

descente *f* descent

désert(e) deserted

déshonorer to dishonor

désignation *f* naming, designation

désir *m* desire

désirer to desire

désordre *m* disorder

dessert *m* dessert

dessin *m* drawing

dessus on, upon; **au-dessus de** above

destination *f* destination

destructeur destructive

détail: au détail retail

détente *f* relaxation

détester to dislike, to hate

détruire to destroy

détruit(e) *p part of* **détruire**

deux two

deuxième second

devait: il devait *imperf ind 3rd sg of* **devoir**

devant in front of; before; **responsable devant l'Assemblée** responsible to the Assembly

devanture *f* store window

déveine *f* bad luck

développer: se développer to develop

devenir to become

deviennent: ils deviennent *pr ind 3rd pl of* **devenir**

deviner to guess

devoir *m* duty

devoir must, have to; to owe; **je dois** I must, I am supposed to; **je devais** I was supposed to; **j'ai dû** I must have, I had to; **je devrais** I should; **j'aurais dû** I should have; **ils devaient être** they must have been

dévotion *f* devotion; **dévotion particulière** special cult

devriez: vous devriez *condl 2nd pl of* **devoir** you should

diable *m* devil; **pauvre diable** poor fellow

dictature *f* dictatorship; **c'est bien la dictature** it is certainly dictatorship

dictionnaire *m* dictionary

dieu *m* god

différent(e) different

différer to differ

difficile difficult

difficilement with difficulty

difficulté *f* difficulty

digne worthy

dignité *f* dignity

dimanche Sunday

diminuer to diminish

dîne: je dîne *pr ind 1st sg of* **dîner**

dîner to dine, to have dinner; *m* dinner

dînons *imper 1st pl of* **dîner**

dinosaure *m* dinosaur

dirai: je dirai *fut 1st sg of* **dire**

dire to say; **dites-moi** tell me; **dites donc** say; **c'est-à-dire** that is to say; **à vrai dire** to tell the truth; **vouloir dire** to mean; **c'est beaucoup dire** that is saying too much; **comme on l'a dit** as has been said; **se dire** to say to oneself

directement directly

directeur *m* director

direction *f* guidance, directing, overseeing

disais: je disais *imperf ind 1st sg of* **dire**

discipline *f* discipline

discipliné disciplined

discours *m* speech

discrètement discretely

discutable open to discussion

discuter to discuss

disent *pr ind 3rd pl of* **dire**

disons: nous disons *pr ind 1st sg of* **dire**

disparaître to disappear; to die

disparition *f* disappearance

disparu *m* person who has died

disparu *p part of* **disparaître**

dispersé scattered

dispersion *f* dispersion, scattering

disposé(e) disposed, inclined; **tout disposé** quite willing

disposer de to have at one's disposal

disposition *f* disposal

dissertation *f* dissertation

distance *f* distance; **à quelque distance** some distance away

distingué distinguished

distinguer to distinguish

distraction *f* amusement, pastime

distraire: se distraire to amuse oneself, to take relaxation

distribuer to distribute

dit *pr ind 3rd sg of* **dire**

dites *imper of* **dire**

divergence *f* difference; **divergence de vues** difference of opinion

divers various

dix ten

dix-neuf nineteen; dix-neuvième nineteenth

doigt *m* finger

dois: je dois *pr ind 1st sg of* devoir

doit: il doit *pr ind 3rd sg of* devoir

dollar *m* dollar

dommage: c'est dommage it's too bad

donc then; therefore; consequently; entrez donc do come in; dites donc well *say!*

donne *pr ind 3rd sg of* donner

donner to give

dont whose, of whom, of which

dos *m* back

dose *f* dose

douce *see* doux

doucement gently

doute *m* doubt; sans doute no doubt

douter (de) to doubt; je n'en doute pas I don't doubt it

doux, douce mild; soft

douzaine *f* dozen

dresser to set, to set up; se dresser to stand

droite: à droite to the right

du *see* de

duc *m* duke

dur, dure hard

durable durable, lasting

durer to last

dysenterie *f* dysentery

E

eau *f* water; eau courante running water

échafaudage *m* scaffold

échanger to exchange

échelle *f* ladder

éclatant dazzling

école *f* school; Ecole des Beaux-Arts School of Fine Arts; Grandes Ecoles leading technical and professional schools

économique economic; inexpensive

écouter to listen

écrier: s'écrier to exclaim

écrire to write

écrit *p part of* écrire

écrivain *m* writer

édifice *m* building

édition *f* edition

effacer to efface

effet *m* effect; en effet indeed, in fact; En effet That's right; effets personnels personal effects

efficace effective

effort *m* effort

également equally, also

égard: à son égard in regard to it

église *f* church

élection *f* election

électeur *m* voter, elector

électricité *f* electricity

électrique electric

élégant(e) elegant

élément *m* element

élémentaire elementary

élevé high; peu élevé not very high

élever to raise

élite *f* elite

elle she; her; it

éloquent(e) eloquent

élu *m* elect; chosen

embarrasser embarrass

embellir to beautify

embouteillage *m* traffic jam; bottle neck

émérite expert

émettre to put out
éminent(e) eminent
emmener to take along
empêcher to prevent
empereur *m* emperor
employé *m* white-collar worker
employer to use
en in; to; en France in France
en *pron* of it; some; en...trop too much (of it); en changer to change (from) it
enceinte *f* walls around a city
encens *m* incense
enchanté(e) happy (to meet you); enchanted
encombrer to encumber
encore still; yet; pas encore not yet
endroit *m* place
endurance *f* endurance
énergie *f* energy, power
énergique energetic
enfance *f* childhood
enfant *m* child
enfer *m* hell
enfin finally
enfoncer: s'enfoncer to sink
enlevant *pr part of* enlever; en enlevant taking off
enlever to remove, to take off
ennui *m* annoyance
énorme enormous
énormément de great quantities of
enrouler to roll around
enseigne *f* sign; enseignes peintes painted signs
ensemble *m* whole; *adv* together
ensuite then, afterwards
entend *pr ind 3rd sg of* entendre

entendre to hear; to understand; entendre parler de to hear of; entendre dire que to hear that; on ne s'entend plus people can no longer hear
entendu *p part of* entendre; bien entendu of course
enthousiasme *m* enthusiasm
entourer to surround
entraîner to drag away
entre *pr ind 3rd sg of* entrer
entre between; among; quelques-uns d'entre eux some of them
entrée *f* main course, meat course; entrance; admission
entreprise *f* enterprise, concern, firm; undertaking
entrer, entrer dans enter, come into, pull into
entretenir to keep up, to keep in repair
entrez *imper of* entrer
envahir to invade
envie *f* desire; avoir envie de to want to, to feel like
environ about
environs *m pl* vicinity
envoient *pr ind 3rd pl of* envoyer
envoyer to send
épais(se) thick, heavy
épique epic
époque *f* period, time; à l'époque biblique in Biblical times
épreuve *f* test, trial; mettre à l'épreuve to test
éprouver to test
épuisé exhausted
équestre equestrian
équilibre *m* equilibrium, balance
équipe *f* team

équiper to equip

ériger to erect

erreur *f* error

érudition *f* learning

espace *m* space

Espagne *f* Spain

Espagnol *m* Spaniard

espèce *f* kind; sort; **espèce de coalition** a sort of coalition

espère: j'espère *pr ind 1st sg of* **espérer**

espérer to hope; **j'espère bien** I certainly hope

esprit *m* mind, spirit, wit; **avoir l'esprit clair** to have a clear head

essaie *pr ind 3rd sg of* **essayer**

essayer to try

essence *f* gasoline

essentiel *m* essential, the main thing

est *pr ind 3rd sg of* **être**

est-ce que? *the interrogative formula (lit is it that...?)*

estampe *f* print

esthète *m* esthete

estimer to esteem, to estimate

estomac *m* stomach

et and

établir to establish

étage *m* floor, story; **maison à deux étages** three story house

étalage *m* display

étape *f* stage (of a trip)

état *m* state; **en bon état** in good condition; **les Etats-Unis** the US; **aux Etats-Unis** in the US

été *m* summer

été *p part of* **être**

étendre: s'étendre to extend, to spread

êtes: vous êtes *pr ind 2nd pl of* **être; vous n'y êtes pas du tout** that isn't it at all

étoile *f* star

étonnement *m* astonishment

étonner to astonish

étrange strange, peculiar

être to be

étroit(e) narrow

étude *f* study

étudiant(e) student

étudier to study

Europe *f* Europe

européen, européenne *adj* European; **Européen** *m* European

eux they, them; **chez eux** to their house; **eux-mêmes** they themselves

éveiller to awaken, to stimulate

événement *m* event

évêque *m* bishop

évidemment of course

évident obvious, evident

évocateur evocative, suggestive

évocation *f* act of remembering or recalling, evocation

évoquer to call to mind, to evoke

exactement exactly, precisely

exactitude *f* promptness

exagéré(e) exaggerated

exagérer to exaggerate, to go too far; **n'exagérez pas** don't go too far

examen *m* examination

examinateur *m* examiner

examine *pr ind 3rd sg of* **examiner**

examiner to examine

excellence *f* excellence

excellent(e) excellent

excepter to except

excepté except, excepting
exceptionnel(le) extraordinary
excessif(ive) excessive; high
excessivement excessively
excursion *f* excursion, trip
excuse: je m'excuse *pr ind 1st sg of* **s'excuser**
excuser to excuse; **s'excuser** to apologize
exécuter to execute
exemple: par exemple for example
exercer to exercise
exercice *m* exercise
exigeant particular, hard to please
exil *m* exile
existence *f* existence
existentialisme *m* existentialism
exister to exist
expédition *f* expedition
expérience *f* experience, experiment
expérimenté experienced
expérimenter to experiment
expert(e) expert, skilful
explication *f* explanation
explique *pr ind 3rd sg of* **expliquer**
expliquer to explain
exploit *m* exploit
exploration *f* exploration
explorer to explore
exposer to expose, to exhibit
exposition *f* exhibit, exposition
expression *f* expression
exprimer to express
extérieur(e) exterior, foreign
extraordinaire extraordinary
extrêmement extremely
extrémiste radical
extrémité *f* end

F

fable *f* fable
fabriquer to manufacture
face: en face de in front of; opposite
fâcher: se fâcher to get angry
facile easy
facilité *f* facility
façon *f* way, manner; **la façon de frapper** the knock
Faculté *f* faculty; **Faculté des Lettres** that part of the University which is devoted to the teaching of Letters
faible weak; low
faillir to fail; **j'ai failli tomber** l almost fell
faim *f* hunger; **avoir faim** to be hungry; **avoir grand'faim** to be very hungry
faire to do, make; **faire un tour** take a walk; **faire une promenade** take a walk; **faire la cuisine** to cook; **faire remarquer** to call attention; **faire la connaissance de** to make the acquaintance of; **faire glisser** to slip *(trans);* **il fait chaud** it is hot; **faites-le bien chauffer** heat it thoroughly; **faire partie de** to be a part of; **toute faite** ready made; **tout à fait** entirely; **cela ne fait rien** that makes no difference
fais: tu fais *pr ind 2nd sg of* **faire**
fait *p part of* **faire**
fait: il fait *pr ind 3rd sg of* **faire**
faites: vous faites *pr ind 2nd pl of* **faire**
faites *p part f pl of* **faire**

falloir *impers verb* to have to; **il faut** one must, it is necessary; **il a fallu** it was necessary

fameux(euse) famous, much talked of

familier familiar

famille *f* family

fanatique de devoted to, crazy about

fantaisie *f* whim, caprice

farce *f* farce, low comedy

Far-West *m* the West

fatalement inevitably

fatigant tiring

fatigue *f* weariness, fatigue

fatigué(e) tired

faudrait: il faudrait *condl 3rd sg of* **falloir** it would take, it would require

faune *f* fauna

faut: il faut it is necessary, one must *pr ind 3rd sg of* **falloir**

faveur *f* favor

favorable favorable

favorablement favorably

favoriser to favor

féminin(e) feminine

femme *f* woman, wife

fer *m* iron; **en fer** of iron

ferai *fut 1st sg of* **faire**

ferme firm

ferme *f* farm, farm-house

fermé *p part of* **fermer**

fermer to close, to shut; **se fermer** to close *(intrans)*

fermeture *f* closing

fête *f* celebration

fêter to celebrate

feu *m* fire

feuille *f* leaf

février February

fidèle *m* faithful person

fier, fière proud

fièvre *f* fever; **la fièvre typhoïde** typhoid fever

figure *f* face, figure

fil *m* thread

file *f* file; **à la file indienne** in single file

fille *f* daughter, girl; **jeune fille** girl

film *m* film

fils *m* son

fin *f* end

finalement finally

financier(ère) financial, monetary

finir to finish; **finit par payer** ends up by paying, finally pays; **d'avoir...fini** of having finished; **en finissant** finishing

finissez *imper of* **finir**

fixe stable

fixer to establish, to fix

flanqué(e) flanked; **flanqué de tours** flanked with towers

fleur *f* flower

fleuri(e) decorated with flowers; in bloom

fleuve *m* (large) river

flexible flexible

flocon *m* flake

flore *f* flora, vegetable life

florissant prosperous

flot *m* wave; flow, flowing

flotte *f* navy

flotter to float

foi *f* faith; **ma foi non** no, I couldn't *(lit* no, by my faith!)

foie *m* liver

foire *f* fair, street fair

fois *f* time; **une fois** once; **à la fois...et** both...and, at the same time...and

Folies-Bergère Paris variety show

fond *m* bottom, back; **au fond d'un jardin** with a garden in front, at the back of a garden; **au fond** at bottom, in reality

fondre to melt; **faire fondre** to have...melted

font *pr ind 3rd pl of* **faire**

force *f* force

forêt *f* forest

forgeron *m* blacksmith

formation *f* formation

forme *f* form; **sous toutes les formes** under any form; **en forme de** in the shape of

former to form

fort, forte strong; good; *m* strong man; **fort des *Halles** porter; *adv* very

fortification *f* fortification

foule *f* crowd

fourchette *f* fork

fourneau *m* stove, grill

foyer *m* fireplace

fraîche *see* **frais**

frais, fraîche cool; cold

frais *m* coolness; **au frais** where it is cool

fraise *f* strawberry

franc *m* franc

français *m* French; **Français** *m* Frenchman; **français(e)** *adj* French

France *f* France

France-Soir a Paris daily

franchement frankly

frappe *pr ind 3rd sg of* **frapper**

frapper to knock

fréquemment frequently

fréquent(e) frequent

fréquenté(e) patronized, visited

frère *m* brother

froid *m* cold; **avoir froid** to be cold; **il fait froid** it is cold (weather)

fruit *m* fruit

G

gagnant(e) winning

gagnant *m* winner

gagner to earn; to win

galerie *f* gallery; corridor

galon *m* stripe

garantir to guarantee

garçon *m* boy; waiter

garder to keep

gare *f* railroad station

gaspillage *m* waste

gastronomique gastronomic, of or pertaining to eating

gâteau *m* cake

gauche left

Gaule *f* Gaul

gaulois(e) Gallic

gelée *f* jelly, gelatine; **gelée sucrée** sweetened gelatine

gênant(e) bothersome

gêner to bother

général(e) general

généralement generally

génération *f* generation

génie *m* genius

genre *m* kind

gens *m or f pl* people; **jeunes gens** young men, young people

gentil, gentille nice, kind

gentiment kindly

géographe *m* geographer
géométrie *f* geometry
germanique Germanic
geste *m* gesture
glace *f* ice
glisser to slip *(intrans);* **faire glisser** to slip *(trans)*
gloire *f* glory
glorifier to glorify
golf *m* golf
gothique Gothic, style of architecture created in France in the 12th century
gouffre *m* cave, chasm
goût *m* taste
gouvernement *m* government
grâce à thanks to
gracieux(se) elegant, graceful
graduellement gradually
gramme *f* gram
grand(e) tall; great; **la Grande Charte,** Magna Carta; **pas grand'chose** nothing much; **les grands et les petits** the great and small
grandir to grow
grand-mère *f* grandmother
grange *f* barn
gratuit(e) free
grave serious
gravité *f* gravity, seriousness
Grèce *f* Greece
grenouille *f* frog
grille *f* fence
griller to cook on a grill
grimper to climb
grimpeur *m* climber
gris(e) gray
gros, grosse big, large; **en gros** wholesale

grotte *f* grotto
groupe *m* group; **en groupe** in a group
guère: ne...guère scarcely, hardly
guéri *p part of* **guérir**
guérir to cure
guerre *f* war
guichet *m* ticket window
guide *m* guide
guider to guide
guillotine *f* guillotine

H

habile skilful
habileté *f* skill
habillé(e) dressed
habit *m* dress, costume; **habits** *m pl* clothes
habitant *m* inhabitant
habitation *f* home, habitation
habite *pr ind 3rd sg of* **habiter**
habiter to live, to dwell
habitude *f* habit, practice; **habitudes gastronomiques** eating habits; **d'habitude** usually
habitué(e) (à) accustomed (to)
habituel(le) customary
habituer: s'habituer à to get used to
*__Halles, les__ *f pl* Central Market
*__handicap__ *m* handicap
harmonie *f* harmony
harmonieusement harmoniously
harmoniser: s'harmoniser to harmonize
*__hasard__ *m* chance; **par hasard** by chance
*__haut(e)__ high
*__hauteur__ *f* height
*__hélas__ alas

Henry IV popular King of France (1589-1610)
*****hérissé(e) de** bristling with
héroïque heroic
*****héron** *m* heron
*****héros** *m* hero
hésitent *pr ind 3rd pl of* **hésiter**
hésiter to hesitate
heure *f* hour; **à cinq heures et demie** at five-thirty; **de bonne heure** early; **de très bonne heure** very early; **à l'heure** per hour; on time; **à l'heure actuelle** now, at present; **juste à l'heure** right on time; **tout à l'heure** in a short while, a short while ago
heureusement fortunately
heureux(se) happy, fortunate
histoire *f* history; story
historique historical
hiver *m* winter; **en hiver** in winter
*****hollandais(e)** Dutch
*****Hollande, la** *f* Holland
*****homard** *m* lobster
homme *m* man; **jeune homme** young man; **homme d'Etat** statesman
homogène homogeneous, of one kind
honneur *m* honor
honorable respectable
honorer to honor
honorifique honorary
*****honte: avoir honte (de)** to be ashamed (of)
horreur *f* horror
horrible horrible
horriblement terribly
*****hors** out of, outside
*****hors-d'œuvre** *m pl* appetizers

hospitalier hospitable
hospitalité *f* hospitality
hostilité *f* hostility
hôte *m* host; guest
hôtel *m* hotel
*****hotte** *f* basket carried on the back
*****houx** *m* holly
*****huit** eight
huître *f* oyster
humain(e) human
humeur *f* humor
humide damp, humid
humidité *f* humidity
humour *m* wit
*****hutte** *f* hut

I

ici here
idéal(e) ideal
idée *f* idea
identifier to identify
ignorance *f* ignorance
il he, it
île *f* island
illuminé(e) lighted
illuminer to light up
illustre famous
ils they
imagination *f* imagination
imaginer to imagine; to fancy, **to** picture
immédiatement immediately
immense vast
immensité *f* vastness
impartial(e) impartial
impartialité *f* impartiality
impatience *f* impatience
impatient(e) impatient
impérissable imperishable
imperméable *m* raincoat

importance *f* size, importance
important(e) important, large
importer to import
imposant(e) imposing
imposer: s'imposer to be established, to take over
impossible impossible
impression *f* impression
impressionné *p part of* **impressionner**
impressionner to impress
impressionnisme *m* impressionism
inattendu(e) unexpected, strange
inaugurer to inaugurate, to unveil
incapable unable
incertitude *f* uncertainty
inconcevable inconceivable
inconnu(e) unknown
inconvénient *m* disadvantage
incroyablement incredibly
incrusté incrusted
indépendance *f* independence
indication *f* sign; notice
indifférence *f* indifference
indignation *f* indignation
indigne unworthy
indiquer to indicate
indispensable indispensable
indistinct(e) indistinct
individu *m* individual
individualisme *m* individualism
individualiste *m or f* individualist
industrie *f* industry
industriel(le) industrial
inégalité *f* inequality
inerte inert, inactive, sluggish
inférieur(e) inferior
infiltrer: s'infiltrer to trickle
infime very small
infiniment infinitely

information *f* information
ingénieur *m* engineer
injuste unfair
innocemment innocently
innovation *f* innovation
inoffensif(ve) harmless
inondation *f* flood, inundation
inquiétude *f* worry, anxiety
insalubrité *f* impurity, unwholesomeness
inspiration *f* inspiration
instabilité *f* instability
installer: s'installer to sit down, **to** get settled
instant *m* instant, moment
Institut des Etudes Politiques Graduate school of Political Science
instructif(ve) instructive
instruire to teach, to instruct
instrument *m* instrument
intelligent(e) intelligent
intempéré(e) not temperate; intemperate
intention *f* intention; **avoir l'intention** to intend
interdire to forbid; **il est interdit** it is forbidden
interdit *p part of* **interdire**
intéressant(e) interesting
intéresser to interest
intérêt *m* interest; **divergence d'intérêts** conflict of interests
intérieur *m* interior; **à l'intérieur** inside
interminable endless, interminable
international(e) international
interpeller: s'interpeller to shout at each other
interrogation *f* question

interrompent *pr ind 3rd pl of* **interrompre**

interrompre to interrupt

intervalle *m* interval

intriguer to puzzle, to intrigue

inusité(e) unusual

inutile useless

inventer to invent

invitation *f* invitation

invité *m* a guest

inviter to invite

ira *fut 3rd sg of* **aller**

ironiquement ironically, jokingly

ironiste *m* an ironical person

irons: nous irons *fut 1st pl of* **aller**

isoler to isolate; **s'isoler** to isolate oneself

Italie *f* Italy

Italien(ne) Italian; **italien(ne)** *adj* Italian

J

jamais ever; **ne...jamais** never

jambon *m* ham

janvier January

jardin *m* garden; **jardin potager** vegetable garden; **le Jardin du Luxembourg** the Luxemburg Gardens

jaune yellow

jeter to throw; **jeter un coup d'œil** to glance, to take a look

jeu *m* play; **en jeu** at stake

jeune young; **jeune fille** girl; **jeunes gens** young men, young people

jeunesse *f* youth

joie *f* joy, pleasure

joindre to join

joli(e) pretty

jouent *pr ind 3rd pl of* **jouer**

jouer to play

jouet *m* toy

jour *m* day; **un jour** some day; **un de ces jours** one of these days; **tous les jours** every day; **de nos jours** in our time

journal(aux) *m* newspaper

journée *f* day, the entire day; day's work

jovial(e) jolly

jugement *m* judgment; **Jugement dernier** Last Judgment

juillet July

juin June

jusqu'à as far as; until

juste just; **juste à l'heure** right on time; **au juste** exactly

justifier to justify

K

kaki *m* khaki

kilo *m* kilogram (2.2 pounds)

kilomètre *m* kilometer (⅝ of a mile)

klaxon *m* horn

L

l' *see* **le**

la *see* **le**

là there; **c'était là** that was; **là-bas** over there

-là *see* **ce, cet, cette...là**

labyrinthe *m* maze

lacet: route en lacet hairpin curve

laisser to let, to leave; to allow; **je vais vous les laisser à soixante francs** I will let you have them for sixty francs

laitue *f* lettuce; **quartier de laitue** quarter of a head of lettuce

lancer to throw
langage *m* speech
langue *f* language, tongue
lapin *m* rabbit
large wide, broad
latin *m* Latin
le, la, les, l' the; *pron* he, her, it, them
lecteur *m* reader
légende *f* legend; inscription
léger, légère light
légèrement slightly; lightly
légume *m* vegetable
lendemain: le lendemain the next day; **du jour au lendemain** overnight
lent(e) slow
lentement slowly
lequel, laquelle, lesquels, lesquelles *rel pron* which
lettre *f* letter; **gens de lettres** writers
leur(s) *poss adj* their; **leur** *pron* to them, for them
lever to raise
levier *m* lever
libérer to liberate, to set free
liberté *f* freedom; **liberté d'esprit** freedom of the mind; independence
libraire *m* book dealer
libre free
lieu(x) *m* place; **au lieu de** instead of; **avoir lieu** to take place; **lieu de rendez-vous** meeting place; **nom de lieu** place name; **il y a lieu** there is reason, there are grounds
lieue *f* league
lieutenant *m* lieutenant

ligne *f* line
lilas *m* lilac
limiter to limit
lire to read
lisent *pr ind 3rd pl of* **lire**
lisez: vous lisez *pr ind 2nd pl of* **lire**
lisiez: vous lisiez *imperf ind 2nd pl of* **lire**
liste *f* list
lit *m* bed
litre *m* liter (slightly more than an American quart)
littéralement literally
littérateur *m* writer
littérature *f* literature
livre *m* book; **livres d'occasion** second-hand books; **livre de cuisine** cookbook
livrer to deliver
local(e) local
logique logical
loin far; **loin de là** far from it; **loin d'être extrémiste** far from being radical
lointain(e) far-off, distant; **dans le lointain** in the distance
long(ue) long; **le long de** along
longtemps a long time, long; **depuis longtemps** for a long time; **n'est pas longtemps** not...for long
longuement at length
lorsque when
Louis XV King of France (1715-1774)
lourd(e) heavy
lu *p part of* **lire**
lui him, to him, her, to her
lui-même himself, itself

lumière *f* light
lune *f* moon
lutte *f* wrestling
lutteur *m* wrestler
luxe *m* luxury
Luxembourg *m* Luxemburg
lycée lyceum (combination of high school and junior college)

M

M. *abbr for* **Monsieur,** Mr.
machine *f* machine, car
magasin *m* store
magnifique magnificent
mai May
maillot *m* jersey
main *f* hand
maintenant now
maintenir to maintain, to keep
maintiennent: ils maintiennent *pr ind 3rd pl of* **maintenir**
mais but; **mais oui** oh! yes
maison *f* house; firm
maître *m* master
majorité *f* majority
mal *m* evil; **avoir du mal** have difficulty; *adv* **mal** badly; **pas mal** a good many; not bad
malade sick
maladie *f* disease, sickness
malgré in spite of
malheur *m* misfortune; **le malheur est** the sad part is
malheureusement unfortunately
malheureux(euse) unhappy, unsuccessful
malicieusement maliciously; knowingly
malin malicious, sly
mangeable edible

manger to eat
manière *f* manner
manifestation *f* demonstration
manifestement clearly, evidently
manifester to show; to demonstrate
manœuvrable manœuverable
manquer to miss, to fail; to lack
manuel *m* manual
manuscrit *m* manuscript
marchand(e) merchant, dealer
marchander to bargain
marche *pr ind 3rd sg of* **marcher**
marché *m* market; **marché aux fleurs** flower market; **à bon marché** cheap
marcher to walk
mare *f* pool
maréchal *m* marshal
mari *m* husband
marié(e) *p part of* **marier** married
marque *f* make
marqué *p part of* **marquer**
marquer to mark
marquis *m* marquis
marron *m* chestnut
mars March
martyr *m* martyr
masse *f* crowd
massif *m* massif, mountain mass; **Massif Central** the massif which is in the center of France
massif(ve) massive
match *m* game; match
matérialisme *m* materialism
matériel *m* equipment, matériel
mathématiques *f pl* mathematics
matin *m* morning; **une heure du matin** 1:00 A.M.; **le matin** in the morning; **tous les matins** every morning

matinée *f* morning

mauvais(e) bad

mayonnaise: sauce mayonnaise mayonnaise dressing

me me, to me

mécanisé(e) mechanized

méchant(e) wicked

mécontent(e) displeased

médecine *f* medicine

Méditerranée *f* Mediterranean

meilleur(e) better; le meilleur, la meilleure the best

membre *m* member

même even; le même, la même, les mêmes the same; *adj* same (if preceding noun), very, self (if following noun); tout de même nevertheless

mémoire *f* memory

ménagère *f* housewife

menu *m* menu

mer *f* sea; la Mer du Nord the North Sea

merci thank you

mère *f* mother

mérite *pr ind 3rd sg of* mériter

mériter to deserve

merveille *f* marvel

merveilleux(se) marvelous

messe *f* mass

messieurs (*pl of* monsieur) gentlemen

mesure *f* measure; bill; à mesure que as; dans la mesure que to the extent that

met: il met *pr ind 3rd sg of* mettre

métier *m* trade, occupation

mètre *m* meter (39.36 inches)

métrique metric

métro (*abbr of* métropolitain) *m* Paris subway

mettre to put, to put on; se mettre d'accord to get together

meuble *m* a piece of furniture

Midi *m* the South

mieux better; rien de mieux nothing better

milieu *m* milieu; surroundings; middle; au milieu de amidst

mille thousand

millier *m* (about a) thousand

million *m* million

millionnaire *m* millionaire

mimosa *m* mimosa

mine *f* mine

minéral(e) mineral

ministère *f* ministry, cabinet

ministériel(le) ministerial; of or pertaining to a cabinet

minorité *f* minority

minuit *m* midnight

minute *f* minute

mis *p part of* mettre; bien mis well dressed

misérable poor, shabby

Mme (*abbr of* Madame) *f* Mrs.

mode *f* style; à la mode in style

modération *f* moderation

moderne modern, up-to-date

modestement modestly

modique modest, trifling

moindre less; le moindre the least

moine *m* monk

moins less; à midi moins dix at ten minutes to twelve; au moins at least; ni plus ni moins neither more nor less; plus ou moins more or less; le moins the least; le moins du monde the least bit mois *m* month

moitié *f* half

moment *m* moment; **en ce moment** right now

monarchie *f* monarchy

monde *m* world; people; **beaucoup de monde** many people; **tout le monde** everyone; **un monde nouveau** a new world; **le Nouveau Monde** the New World

monôme *m* students' demonstration

monotonie *f* monotony

monsieur sir; Mr.; **messieurs** gentlemen

monstre *m* monster

montagne *f* mountain

montagneux(se) mountainous

monte *pr ind 3rd sg of* **monter**

montée *f* climb

monter to mount, to go up, to climb; *trans* to take up; **monter dans** to get in

Montmartre center of Paris night life

montrer to show

monument *m* monument

moquer: **se moquer de** to make fun of

morceau *m* piece

mort *f* death; *m* dead person

mort *p part of* **mourir**

mot *m* word

moteur *m* motor

motocyclette *f* motorcycle

mouiller: **se mouiller les pieds** to get one's feet wet

moulin *m* mill; **moulin à vent** windmill

mourir to die

mousse *f* moss; frozen dessert; **mousse aux fruits** a fruit mousse

moustache *f* mustache

mouton *m* sheep

mouvement *m* movement

moyen *m* means

moyen(ne) medium; **moyen âge** Middle Ages

moyennant by paying

moyenne *f* average

muguet *m* lily of the valley

multiple multiple

mur *m* wall; **aux murs gris** with gray walls

mûr(e) ripe

muraille *f* wall

muscle *m* muscle

musée *m* museum

musicien *m* musician

musique *f* music

mystère *m* mystery

N

n' *see* **ne**

nager to swim

naissance *f* birth

naître to be born; **qui vient de naître** who has just been born

natal(e) native

national(e) national

nationalité *f* nationality

Nativité *f* Nativity

nature *f* nature; **de nature à** likely to

naturel(le) natural

naturellement naturally, of course

ne: **ne ... pas** not; **ne ... guère** scarcely, hardly; **ne ... jamais** never; **ne...plus** no longer, no more; **ne...que** only; **ne...ni... ni** neither...nor

néanmoins nevertheless
nécessaire necessary
nécessairement necessarily
nécessité *f* necessity
nef *f* nave (of a church)
négligeable negligible
neige *f* snow
neiger to snow
ni neither, nor; **ne ... ni ... ni** neither ... nor
noble noble
Noël *m* Christmas
noir(e) black
noix *f* walnut
nom *m* name; **au nom sinistre** with the sinister name
nombre *m* number
nombreux(euse) numerous
nord *m* North
Normandie *f* Normandy
nostalgie *f* homesickness; nostalgia
notamment notably, especially
note *f* grade
noter to grade
notre *adj* our
nôtre: le nôtre, la nôtre, les nôtres *pron* ours
nourrir to feed
nous we; us; ourselves
nouveau, nouvelle new; **le Nouveau-Monde** the New World; **tout nouveau** right new; **de nouveau** again
nouvelle *f* (piece of) news
Nouvelle-Orléans, La New Orleans
novembre November
nu(e) naked
nuance *f* nuance, tint
nuée *f* cloud

nuit *f* night; darkness; **toute la nuit** all night

O

obélisque *m* obelisk
objet *m* object, thing
obliger to oblige; **vous serez obligé** you will have to
observateur *m* observer
observe *pr ind 3rd sg of* **observer**
observer to notice, to observe
occasion *f* opportunity; **avoir l'occasion** have occasion to; **livre d'occasion** second-hand book; **une occasion** a bargain; **à l'occasion de** on the occasion of
occidental(e) Occidental, Western
occupation *f* occupation
occupé(e) occupied, busy
occuper to occupy; **s'occuper de** to take care of
Océanie *f* South Sea Islands (including Australia)
odeur *f* odor
œil *m* eye; **yeux** eyes; **leur mettait sous les yeux** put before their eyes; **un coup d'œil** a glance
œillet *m* pink, carnation
œuf *m* egg
œuvre *f* work
offert *p part of* **offrir**
offre: il offre *pr ind 3rd sg of* **offrir**
offrir to offer; to provide; to present
oie *f* goose
oiseau *m* bird
omelette *f* omelet; **omelette aux champignons** mushroom omelet
on, l'on one, someone, they, people

oncle *m* uncle; **chez son oncle** in his uncle's office
ont *pr ind 3rd pl of* **avoir**
opération *f* operation
optimiste optimist
or now; but
oral, oraux oral
orange *f* orange
ordinaire ordinary; **d'ordinaire** usually
ordonné(e) orderly
ordonner to command
ordre *m* order; **d'ordre économique** of an economic nature
organisation *f* organization
organiser to organize; to set up
original(e) original
originalité *f* originality
origine *f* origin
orné *p part of* **orner**
ornement *m* ornament, adornment
orner to adorn
os *m* bone
oser to dare
ou or
où where, when, in which; **d'où** whence
oublier to forget
ouest *m* West
oui yes; **mais oui** oh! yes
outre: en outre besides, moreover
outremer overseas
ouvert(e) open
ouvrant: en ouvrant in opening
ouvre *pr ind 3rd sg of* **ouvrir**
ouvrier *m* laborer
ouvrir to open *(trans);* **s'ouvrir** to open *(intrans)*

P

page *f* page
paille *f* straw
pain *m* bread; loaf of bread
paisiblement peacefully
palais *m* palace
panier *m* basket
panorama *m* panorama
papier *m* paper
par by; **par ici** this way
paraît: il paraît *pr ind 3rd sg of* **paraître**
paraîtrait *condl 3rd sg of* **paraître**
paraître to appear, to seem; **vient de paraître** just out
parapluie *m* umbrella
parce que because
parcours *m* route
parent *m* parent, relative
parfait(e) perfect
parfaitement perfectly
parfois sometimes
parier to bet
Paris-Presse a Paris daily
Parisien(ne) Parisian
parking *m* parking lot
parle *pr ind 3rd sg of* **parler**
parlent *pr ind 3rd pl of* **parler**
parler to speak
parmi among
parole *f* word (spoken)
part *f* part, share; **prendre part** to take part, to participate; **quelque part** somewhere
part: il part *pr ind 3rd sg of* **partir**
partant *pr part of* **partir**; **en partant** on leaving
parti *m* party (political); **tirer parti de** to make use of, to turn to advantage

participant *m* participant

participer to take part

particulier(ière) particular

particulièrement particularly, especially

partie *f* part; **en partie** in part

partir to leave, to start, to set out; **à partir de...** beginning with...

partout everywhere, on all sides

pas *m* step

pas: ne...pas not; **pas exactement** not exactly

passage: de passage à passing through, temporarily in

passager(ère) transitory

passé *m* past

passé *p part of* **passer**

passer to pass; to pass by; to spend (time); to take (an examination); **se passer** to take place, to happen

passionnant(e) thrilling, exciting

Pasteur famous French scientist (1822-1895)

patiemment patiently

patience *f* patience

pâtisserie *f* pastry; pastry shop

pâtissier *m* pastry-cook

patte *f* leg (of animal)

pauvre poor; **pauvre diable** poor fellow

payer to pay, to pay for

pays *m* country; **pays étranger** foreign country; **avoir le mal du pays** to be homesick

Peau-Rouge *m* red-skin; American Indian

pêche *f* fishing; **pêche à la ligne** angling

pêcher to fish

pêcheur *m* fisherman; **pêcheur à la ligne** angler

pédaler to pedal, to ride a bicycle

peindre to paint

peine: à peine scarcely

peint(e) *p part of* **peindre**

peintre *m* painter

peinture *f* painting

pelouse *f* lawn

pendant during; for; **pendant quelques semaines** for a few weeks

pénétrer to enter

pénible difficult, painful

pense *pr ind 3rd sg of* **penser**

penser to think; **penser à** to think of

perdre to lose; **perdre son temps** to waste time; **se perdre** to be lost

perdu *p part of* **perdre**

père *m* father

périssable perishable

permettez *imper of* **permettre**

permettre to permit, to allow; **se permettre** to take the liberty of

permis *p part of* **permettre**

permission *f* permission; leave; **permission de minuit** pass until midnight

perpétuel(elle) permanent; constant

perplexité *f* state of perplexity, of uncertainty

persistant(e) persistent

personnage *m* person (of importance)

personne *f* person; **en personne** in person

personnel(le) personal

personnellement personally

perspective *f* view

persuadé convinced

perte *f* loss; à perte de vue as far as you can see

pertinent(e) relevant, to the point

peser to weigh

pessimiste pessimist

petit(e) small

pétrole *m* oil

peu *m* little; un peu a little; somewhat; peu à peu little by little; à peu près about, approximately

peuple *m* people; common people

peur *f* fear; de peur de for fear of; avoir peur to be afraid; de peur que for fear that

peut: il peut *pr ind 3rd sg of* pouvoir

peut-être perhaps

peuvent: ils peuvent *pr ind 3rd pl of* pouvoir

peux: je peux *pr ind 1st sg of* pouvoir

phare *m* lighthouse, beacon

phénomène *m* phenomenon

photographie *f* photograph

physiothérapique physiotherapy

physique physical

piano *m* piano

pièce *f* play

pied *m* foot

pierre *f* stone

piéton *m* pedestrian

pilier *m* pillar

pire worse; un pire a worse one

piscine *f* swimming pool

piste *f* path

pittoresque picturesque

place *f* square; la Place de l'Opéra Opera Square

place *pr ind 3rd sg of* placer

placer to place, to put

plage *f* beach

plaider to plead

plaindre: se plaindre to complain

plaine *f* plain

plainte *f* complaint

plaire to please; s'il vous plaît please, if you please; se plaire à to be pleased in (or at)

plaisant(e) amusing; un mauvais plaisant a joker

plaisent: se plaisent *pr ind 3rd pl of* se plaire

plaisir *m* pleasure; cela me fait plaisir it pleases me

plaît *pr ind 3rd sg of* plaire

plan *m* map; plan; sur le plan national on a national scale

planté *p part of* planter

planter to plant; planté de planted with

plaque *f* plaque

plat *m* dish; un plat chauffé a heated dish

plateau *m* plateau

plein(e) full; en plein air in the open

pleut: il pleut *pr ind 3rd sg of* pleuvoir

pleuvoir to rain

pliant(e) folding; une chaise pliante a folding chair

plomb *m* lead

pluie *f* rain

plupart *f* most; majority; la plupart des gens most people

plus more; plus ou moins more or less; plus de more than; plus que more than (with verb); de plus en plus more and more; ni plus ni moins neither more nor less; ne...plus no more, no longer; le(la, les) plus the most; le plus sûr the surest

plusieurs several
plutôt rather
poche *f* pocket
poêle *f* frying pan
poème *m* poem
point *m* point, place; **point de vue** point of view; **sur le point de** on the point of; **en tout point** entirely; **à point** cooked just enough
poisson *m* fish
poitrine *f* chest
poivrer to pepper
policier of the police; **roman policier** detective story
poliment politely
politesse *f* civility
politique *f* politics; *adj* political
pomme *f* apple; **pomme de terre** potato
pont *m* bridge; **Le Pont-Neuf** New Bridge, the oldest bridge in Paris
populaire popular; **Paris populaire** Paris of the people
popularité *f* popularity
population *f* population
porc *m* pork, pig
portail *m* portal, large door
porte *f* gate, door
porte *pr ind 3rd sg of* **porter**
porte-bonheur *m* bringer of good-luck
portée *f* reach; **hors de portée** out of reach
portefeuille *m* wallet
porter to wear; to carry; **elle porte bien son âge** it carries its age well, grows old gracefully; **porter sur** to concern
porteur *m* porter, bearer

portrait *m* portrait
pose *pr ind 3rd sg of* **poser**
poser to place; to put; to ask (a question); **poser un problème** to raise a problem
posséder to possess
possible possible; **tout leur possible** all they can
poste *m* station; **poste émetteur** sending station (radio)
potager: jardin potager vegetable garden
poulie *f* block and pulley
poupée *f* doll
pour in order to (with infinitive); *prep* for; **pour qui** for whom; **gentil pour moi** nice to me
pourquoi why
pourrait: il pourrait *condl 3rd sg of* **pouvoir**
pourtant however, for all that
pousse *pr ind 3rd sg of* **pousser**
pousser to push
poussière *f* dust
pouvez: vous pouvez *pr ind 2nd pl of* **pouvoir**
pouvoir to be able, can, could, may, might; **il pourrait bien** he might well; *m* power
pouvons: nous pouvons *pr ind 1st pl of* **pouvoir**
pratique *adj* practical; *f* practice
pratiquer to practice
préalablement previously
précaution *f* precaution
précédent(e) preceding
précis(e) precise, exact
précisément precisely
prédicateur *m* preacher
prédire to predict

préétabli pre-established
préférer to prefer
préfet *m* prefect
préhistorique prehistoric
premier(ière) first; **en première
classe** in first class
prend *pr ind 3rd sg of* **prendre**
prendre to take; to pick up; **prendre la fuite** to take flight; **prendre quelque chose** to have something to drink (or eat); **s'y
prendre** to go about it
prennent: **ils prennent** *pr ind 3rd
pl of* **prendre**
préoccupation *f* concern
préoccupé(e) worried
préparer to prepare; **se préparer**
to get ready
près (de) near; **à peu près** approximately
présence *f* presence
présent(e) present
présentation *f* introduction
présenter to introduce, to present
présidence *f* presidency
président *m* president
presque almost
pressé in a hurry
presser: **se presser** to hurry; to mill
around
prétendre to claim, to maintain
prêtre *m* priest
prier to pray; to ask
primitif(ve) old, original, primitive
primordial(e) primordial
prince *m* prince
principal(e) principal
principe *m* principle; **principes de
structure** structural principles
pris *p part of* **prendre**

printemps *m* spring
prisonnier(ière) prisoner
privilège *m* privilege
prix *m* price
problème *m* problem
procédé *m* process, method
procéder to proceed
prochain(e) next, near at hand
proche near; **Proche-Orient** *m* Near
East
procurer: **se procurer** to get, to pro-
cure
prodigieux(euse) prodigious, very
unusual
prodigue prodigal
production *f* production
produire to produce
produit *m* product
professeur *m* professor
professionnel(le) professional
profit *m* profit
profiter de to take advantage of
profond deep; profound; funda-
mental
programme *m* program
progrès *m* progress
projectile *m* projectile
projet *m* plan; project
prolongement *m* continuation
promènent: **se promènent** *pr ind
3rd pl of* **se promener**
promener: **se promener** to take a
walk; **se promener en auto** to
ride in a car
promettant promising
promettre to promise
proportion *f* proportion
proportionné proportionate
propos: **à propos** by the way; apro-
pos

propose *pr ind 3rd sg of* proposer
proposé(e) proposed
proposer to propose, to suggest
propre own; clean; **sa propre perfection** his own perfection
prospère prosperous
protéger to protect
protestation *f* protest
protester to protest
prouver to prove
proverbe *m* proverb
province *f* province; **en province** out of town, in the country
provision *f* supply
provoquer to provoke, to cause
proximité *f* proximity
prudent(e) prudent, sensible
psychologie *f* psychology
psychologique psychological
psychologue *m* psychologist
P. T. T., Postes, Télégraphes et Téléphones, combination of the postal service with that of telegraph and telephone
public *m* public; *adj* **public, publique** public
publicité *f* publicity
publique public
puis then, afterwards
puisque since
puissance *f* power
puissant(e) powerful
puits *m* well
puisque since
punir to punish
pur(e) pure
purement purely
Pyrénées *f pl* Pyrenees

Q

quai *m* platform
qualité *f* quality; **en qualité de** as
quand when
quantité *f* quantity
quarante-huitième forty-eighth
quarante-septième forty-seventh
quarante-sixième forty-sixth
quart *m* quarter; **trois quarts d'heure** three-quarters of an hour
quartier *m* quarter; **le Quartier Latin** the Latin Quarter; **un quartier de laitue** a quarter of a head of lettuce
quatorze fourteen
quatre four
quatrième fourth; **quatrième étage** fifth floor (The ground floor is not counted as an *étage.*)
que *conj* that; *rel pron* whom, which; **que?** what; **qu'est-ce que?** what
quel(le) *interrog adj* what
quelque, quelques some, a few; **quelque chose** something
quelquefois sometimes
quelques-uns, quelques-unes some, a few
querelle *f* quarrel
question *f* question
qui who; **qui?** who?
quinze fifteen
quittent *pr ind 3rd pl of* quitter
quitter to leave; **se quitter** to separate, to leave each other
quoi? what? **à quoi bon?** what is the use? **en quoi?** of what?
quotidien(enne) daily

R

raconter to relate, to tell

raide steep

raison *f* reason; **en raison de** because of

raisonnable reasonable, fair

ramoneur *m* chimney-sweep

rang *m* row; **au premier rang** in the front row

ranger to put away

rapide rapid, fast

rapidement fast, rapidly

rappeler to recall; **se rappeler** to remember, to recall

rapporter to bring back

rapprocher: **se rapprocher** to approach

rare unusual, rare

rarement rarely

rassuré *p part of* **rassurer**

rassurer to reassure

rattacher: **se rattacher** to go back to

rayon *m* department (in a store)

réaliser to carry out

réalisme *m* realism

réalité: **en réalité** in reality

récemment recently

récent(e) recent, new

recette *f* receipt

recevoir to receive

recherche *f* seeking after

récit *m* narration, narrative

réclame *f* advertising; **faire de la réclame** to advertise

réclamer to demand

reçoit: **il reçoit** *pr ind 3rd sg of* **recevoir**

recommander to advise

recommence *pr ind 3rd sg of* **recommencer**

recommencer to begin again

reconnaît *pr ind 3rd sg of* **reconnaître**

reconnaître to recognize

recours *m* recourse

recouvert(e) covered

reçu *p part of* **recevoir**; **être reçu à un examen** to pass an examination

réel, réelle real, actual

refaire to make over, to remake

refaites *p part f pl of* **refaire**

refléter: **se refléter** to be reflected

refuge *m* refuge

refuser to refuse, to reject

regardant *pr part of* **regarder**

regarde *pr ind 3rd sg of* **regarder**

regarder to look at

regardez *imper of* **regarder**

régate *f* regatta

régime *m* regime, government

région *f* region

règle *f* rule

regrettable regrettable

regretter to regret

régulier(ière) regular

réjouissance *f* rejoicing

relatif(ve) à having to do with

relation *f* relation

relativement relatively

relique *f* relic, remnant

remarquable remarkable

remarque *pr ind 3rd sg of* **remarquer**

remarquer to notice

remède *m* remedy

remercie *pr ind 3rd sg of* **remercier**

remercier to thank

remonter to go up again

remplacer to replace

remplir to fill

Renault popular French make of autos

rencontre *f* meeting of two persons; **vient à leur rencontre** comes to meet them

rencontrer to meet *(trans)*; **se rencontrer** to meet *(intrans)*

rendre to render; to make; **les honneurs qui leur sont rendus** the honors which are given them

renne *m* reindeer

renseignement *m* information

rentrée *f* return; **rentrée des classes** reopening of school (after a vacation)

rentrer to go back home, to go back in

répandre: se répandre to spread

répandu(e) wide-spread

réparer to repair

repas *m* meal

replier to fold over

répond *pr ind 3rd sg of* **répondre**

répondre to answer, to reply

répondu *p part of* **répondre**

réponse *f* answer, reply

repos *m* rest

reposer: se reposer to rest

représentation *f* performance; showing; representation

représenter to represent

reprocher to reproach; **de vous le reprocher** to reproach you for it

reproduire to reproduce

république *f* republic

réputation *f* reputation

requis required

réserver to reserve

résonner to resound

résoudre to resolve; to solve

respecter to respect

responsabilité *f* responsibility

responsable responsible

ressembler à to resemble, to look like

ressortir to go out again

restaurant *m* restaurant

restaurer to restore; to restore to the throne

rester to stay, to remain

résultat *m* result

résulter to result

retard: en retard late (behind schedule)

retour *m* return; **aller et retour** round trip; **en retour** in return, on the other hand

retournent *pr ind 3rd pl of* **retourner**

retourner to go back, to return; **se retourner** to turn around

retrouver to find again; to meet up with

réunir to get together, to bring together; **se réunir** to meet

réussir (à) to succeed (in); to pass (an examination)

réussissait *imperf ind 3rd sg of* **réussir**

réveil *m* awakening

réveiller: se réveiller to wake up

réveillez-vous *imper of* **se réveiller**

réveillon *m* meal eaten on Christmas eve at midnight

révèle *pr ind 3rd sg of* **révéler**

révéler to reveal; **se révéler** to prove oneself

revenir to come back; to return; **qui en revient** who comes back from it

reviennent *pr ind 3rd pl of* **revenir**

révision *f* revision

revoir: se revoir to see each other again, to meet again

révolution *f* revolution

révolutionnaire revolutionary

revue *f* magazine

rez-de-chaussée *m* ground floor

riche rich

ridicule ridiculous

rien nothing; **ne...rien** nothing; **rien de plus simple** nothing simpler

ring *m* ring (sports)

risquer to risk, to run the risk of

rive *f* bank

rivière *f* stream

robe *f* dress

roi *m* king

rôle *m* role

Romain *m* Roman

roman *m* novel; **roman policier** detective story

romantique romantic

rond(e) round

rose *f* round window of stained glass

roucouler to coo (like a turtledove)

rouge red

rouler to roll

route *f* route; way; road; **trouver sa route** to find one's way

royal(e) royal

rue *f* street; **dans la rue** on the street

rythmique rhythmic

S

sa *see* **son**

sac *m* bag

sage wise, sagacious

saint(e) saint

Saint-Lazare name of large Paris railroad station

sais: je sais *pr ind 1st sg of* **savoir**

saison *f* season; **en toute saison** all the time; **marchand des quatre saisons** street vendor

sait: il sait *pr ind 3rd sg of* **savoir**

salaire *m* salary

saler to salt

salle *f* auditorium, large room; **salle de spectacles** theater; **salle à manger** dining room; **salle de bains** bathroom

salon *m* living room; **salon de l'Automobile** Automobile Show

sanglier *m* wild boar

sans without

santé *f* health

santon *m* painted clay figure

satisfaction *f* satisfaction

satisfait(e) satisfied

sauce *f* sauce, dressing

saut *m* jump

sauté browned; **sauté au beurre** browned in butter

sauter to jump

sauver to save

savait: il savait *imperf 3rd sg of* **savoir**

savant *m* scholar

savent: ils savent *pr ind 3rd pl of* **savoir**

savez: vous savez *pr ind 2nd pl of* **savoir**

savoir to know; to know how

Scandinave *m* Scandinavian

scène *f* scene

sceptique skeptical

science *f* science

scooter *m* motor-scooter

scout *m* scout

sculpture *f* sculpture

séance *f* session

sec, sèche dry

second(e) second

secret *m* secret

section *f* section; department; division

seigneur *m* lord

Seine *f* the river which flows through Paris

seize sixteen

selon according to

semaine *f* week; **en semaine** on week days

semblent *pr ind 3rd pl of* **sembler**

sembler to seem

sens *m* direction; sense, meaning; **dans tous les sens** in every direction

sensé(e) sensible

sensiblement perceptibly

sentez: vous vous sentez *pr ind 2nd pl of* **se sentir**

sentimental(e) sentimental

sentir: se sentir to feel

séparation *f* separation

sept seven

septembre September

seraient: ils seraient *condl 3rd pl of* **être**

serait: il serait *condl 3rd sg of* **être**

série *f* series

sérieusement seriously

sérieux(se) serious; **prendre au sérieux** take seriously

sermon *m* sermon

seront: ils seront *fut 3rd pl of* **être**

sert *pres ind 3rd sg of* **servir**

service *m* service; **service militaire** military service; **service des P. T. T.** postal, telegraph, and telephone service

serviette *f* napkin

servir to serve, to be of use; **se servir de** to use

session *f* session, period

seul(e) alone, lonely

seulement only; **non seulement** not only

sévèrement severely, strictly

si if; whether; so; yes; **mais si** oh yes

sidecar *m* sidecar

siècle *m* century

siège *m* seat

signe *m* sign

signifie *pr ind 3rd sg of* **signifier**

signifier to mean

silencieux(se) silent

silencieusement silently

simple simple

simplicité *f* simplicity

singulier(ère) singular, notable

sinistre sinistre

sirop *m* syrup

site *m* site

situation *f* situation

situé(e) situated

ski *m* ski; **faire du ski** to go skiing

skieur *m* skier

six six

sobrement soberly

social(e) social

société *f* society
sœur *f* sister
soigner to take care of
soigneusement with care
soir *m* evening; **tous les soirs** every evening; **le soir** in the evening
soirée *f* evening
soit *pr subj 3rd sg of* **être; soit... soit** either...or
soixante sixty
soixante-dix seventy
sol *m* soil
soldat *m* soldier
soleil *m* sun; **au soleil** in the sunshine
solide solid, compact, compactly built
solidement solidly; **solidement construit** well built
solidité *f* solidity
solstice *m* solstice
solution *f* solution
sombre dark
somme *f* sum
sommes: **nous sommes** *pr ind 1st pl of* **être; nous sommes au mois d'août** it is August
sommet *m* summit
son, sa, ses his, her, its
sonne: **il sonne** *pr ind 3rd sg of* **sonner**
sonner to ring
sont *pr ind 3rd pl of* **être**
Sorbonne *f* the division of the University of Paris which is devoted to the study of letters and sciences
sort *m* fate
sort: **il sort** *pr ind 3rd sg of* **sortir**

sorte *f* sort; kind; **toute sorte** all kinds; **de sorte que** so that
sorti *p part of* **sortir**
sortie *f* exit; **à la sortie** on leaving
sortir to go out, to come out
souci *m* care, worry
soudainement suddenly
souffrir to suffer
soulever to lift
soulier *m* shoe
source *f* spring
sourire *m* smile; to smile; **en souriant** smiling
sous under; **sous une pluie fine** in a misty rain
sous-marin *m* submarine
souterrain(e) underground
souvenir *m* souvenir; **souvenirs à vendre** souvenirs for sale
souvenir: **se souvenir (de)** to remember
souvent often
souviens: **je me souviens** *pr ind 1st sg of* **se souvenir**
spécialiste specialist
spectacle *m* sight, spectacle
spectateur *m* spectator
spéculatif(ve) speculative
spéléologie *f* speleology, study of caves
sport *m* sport
sportif(ve) sporting
stable stable
stalactite *f* stalactite
stalagmite *f* stalagmite
standardiser to standardize
station *f* station; **station thermale** watering place
statue *f* statue

structure *f* structure; **principes de structure** structural principles

style *m* style

submergé *p part of* **submerger**

submerger to submerge

succèdent: il se succèdent *pr ind 3rd pl of* **se succéder**

succéder to succeed, to take the place of; **se succéder** to follow each other

succès *m* success

successif(ve) successive

successivement in turn

sucre *m* sugar; **sirop de sucre** syrup made of sugar and water

sucré(e) sweetened

suffire to suffice, to be enough

suffisamment sufficiently

suffisant sufficient

suffit: il suffit *pr ind 3rd sg of* **suffire**

suffrage *m* vote; **suffrage universel** universal suffrage

suggère *pr ind 3rd sg of* **suggérer**

suggérer to suggest

suis: je suis *pr ind 1st sg of* **être**

Suisse *f* Switzerland

suit: il suit *pr ind 3rd sg of* **suivre**

suite *f* continuation; **et ainsi de suite** and so on; **à la suite de** as a result of; **tout de suite** immediately

suivant according to; **suivant(e)** following

suivent: ils suivent *pr ind 3rd pl of* **suivre**

suivi *p part of* **suivre**

suivre to follow

sujet *m* subject; **à ce sujet** about that

superflu(e) superfluous, useless

supérieur(e) upper

supériorité *f* superiority

suppose: je suppose *pr ind 1st sg of* **supposer**

supposer to suppose

supprimer to abolish

sur on; about; **un mois sur quatre** one month out of four

sûr(e) sure; **j'en suis sûr** I am sure of it

sûrement surely

sûreté *f* safety

surprendre to surprise

surpris *p part of* **surprendre**

surprise *f* surprise

surtout especially

suspendre to hang, to suspend

suspendu *p part of* **suspendre**

symbole *m* symbol

symbolisme *m* symbolism

symphonique symphonic

système *m* system

T

table *f* table

tableau noir blackboard

talent *m* talent

tandem *m* tandem

tandis que while, whereas

tant de so many, so much

tante *f* aunt

tantôt...tantôt now...now

tapis *m* rug

taquiner to tease

tard late; **plus tard** later

taxi *m* taxi

technique technical

tel, telle such; a certain
téléphone *m* telephone
tempéré temperate
temporaire temporary
temps *m* time; weather; **quel temps** what weather
tenir to hold; **tenir compte de** to take into account
tennis *m* tennis; **court de tennis** tennis court
tente *f* tent
tenter to attempt
tenue *f* bearing and dress
terme *m* term
terminer to end
terrain *m* ground
terrasse *f* terrace; **terrasse d'un café** sidewalk café
terre *f* earth
terreur *f* terror
terrible terrible
terrifier terrify
terrine *f* earthenware bowl
territoire *m* territory
testament *m* testament; **Nouveau Testament** New Testament
tête *f* head
théâtre *m* theatre
théorème *m* theorem
théorie *f* theory
tien: le tien, la tienne, les tiens, les tiennes yours; **A la tienne!** To your health!
tiennent: ils tiennent *pr ind 3rd pl of* **tenir**
tiens! well!
tient *pr ind 3rd sg of* **tenir; se tient** is held
timbre *m* stamp
tintamarre *m* din, uproar

tirer to draw, to pull; **tirer parti** to make use of; **se tirer d'affaire** to get along all right
tolérer to tolerate
tombe *f* tomb
tomber to fall
tortueux(euse) crooked
toujours always, still; **pour toujours** forever
tour *m* trip; turn; walk; **faire un tour** take a walk; **faire le tour de** to go around (something); **le Tour de France** bicycle race around France; *f* tower; **la tour Eiffel** the Eiffel Tower
tourisme *m* travel
touriste *m* tourist
tournant *m* curve
tourner to turn; **se tourner** to turn around
Toussaint *f* All Saints' Day (Nov. 1)
tout, toute, tous, toutes *adj* all, every; **toute la journée** all day; **tous les jours** every day; **tout, toute, tous, toutes** *pron* all, everybody, everything; **tout** *adv* all, quite completely; **tout de même** all the same; **tout en parlant** while talking; **pas du tout** not at all; **tout à fait** completely; **tout de suite** immediately; **tout droit** directly, straight
trace *f* trace
tradition *f* tradition
traditionnel(le) traditional
tragique tragic
train *m* train; **en train de** in the act of, busy; **train transatlantique** boat train
traîneau *m* sled

traité *m* treatise
traitement *m* treatment
tranquille quiet; **soyez tranquille** don't worry
tranquillement quietly
transatlantique transatlantic; **train transatlantique** boat train
transformer: se transformer to be rebuilt
transmettre to transmit
transport *m* transportation
transporter to transport
travail *m* **travaux** *pl* work
travailler to work
travailleur *m* worker
travers: à travers through
traversent: ils traversent *pr ind 3rd pl of* **traverser**
traverser to cross
très very
triangle *m* triangle
tribu *f* tribe
tricycle *m* tricycle
triomphe *pr ind 3rd sg of* **triompher**
triompher de to triumph over, to finish off
troglodyte *m* cave dweller
trois three
tromper to deceive; **se tromper** to be mistaken
trompeur(euse) deceptive, misleading
trône *m* throne
trop too; too much; too many
trottoir *m* sidewalk
trouve: il trouve *pr ind 3rd sg of* **trouver**
trouver to find; to think; **se trouver** to find oneself, to be

truffe *f* truffle, a kind of mushroom
type *m* type; **chic type** a wonderful fellow

U

un, une one; a; **les uns des autres** from each other; **ni l'un ni l'autre** neither
uniforme *m* uniform
union *f* union
unique single, unique
université *f* university
urbain(e) urban
urbanisme *m* city planning
usage *m* custom, use
usine *f* plant, factory
utiliser to use, to make use of
utilité *f* usefulness

V

va: il va *pr ind 3rd sg of* **aller**
vacances *f pl* vacation; **en vacances** on vacation
vacciner to vaccinate
vague vague
vaguement vaguely
vais: je vais *pr ind 1st sg of* **aller**
valise *f* handbag
valoir to be worth; **il vaut mieux** it is better
vanter to boast; to boast about
variable variable
variété *f* variety
vaste vast, large
vaut: il vaut *pr ind 3rd sg of* **valoir**
vécu *p part of* **vivre**
véhicule *m* vehicle
veille *f* the day (or night) before; **la veille de Noël** Christmas Eve

vendeur *m* seller, salesman; **vendeur de journaux** newspaper huckster; **vendeuse** saleswoman

vendre to sell; **se vendre** to be sold

vénérable venerable

venez *imper of* **venir; vous venez** *pr ind 2nd pl of* **venir**

venir to come; **venir de** to have just; **vient de paraître** just out

vent *m* wind; **moulin à vent** windmill

vente *f* sale

ventre *f* stomach, belly

venu *p part of* **venir,** having come, who has come

véracité *f* veracity, truth

véritable real, veritable

verrez: vous verrez *fut 2nd pl of* **voir**

verriez: vous verriez *condl 2nd pl of* **voir**

vers towards; about

verser to pour

vert(e) green

vertigineux(euse) breathtaking, dizzy

vertu *m* virtue

vestige *m* vestige, remnant

vêtements *m pl* clothes

vêtir to dress

vêtu *p part of* **vêtir**

veut: il veut *pr ind 3rd sg of* **vouloir**

vexé(e) annoyed

viande *f* meat

vice-roi *m* viceroy

victoire *f* victory

vide empty

vie *f* life; **la vie chère** the high cost of living

vieil, vieille *see* **vieux**

vieillard *m* old man; *pl* old people

viennent: ils viennent *pr ind 3rd pl of* **venir**

vient: il vient *pr ind 3rd sg of* **venir**

vieux, vieil *m*, **vieille** *f*, **vieux, vieilles** *pl* old; **mon vieux** old man; **vieux de plusieurs siècles** several centuries old

vif, vive alive; **couleurs vives** bright colors

village *m* village

ville *f* town, city

villégiature *f* stay in the country

vin *m* wine

vingt twenty

vingtaine *f* about twenty

violemment violently

violette *f* violet

visage *m* face

visiter to visit, to go to see; to inspect

visiteur *m* visitor

vite fast

vitesse *f* speed

vitrail(aux) stained glass window

vivacité *f* animation, vivacity

vivait *imperf ind 3rd sg of* **vivre**

vivant(e) alive, living; **langue vivante** modern language

vivre to live

vogue *f* vogue, fad

voici here is

voilà there is, that is; **voilà tout** that's all

voir to see

voisin(e) neighboring; **les rues voisines de** the streets near...

voisinage *m* vicinity, neighborhood

voit: il voit *pr ind 3rd sg of* **voir**

voiture *f* vehicle of any kind: car, carriage, pushcart

voix *f* voice; **à voix basse** in a low voice; **à haute voix** aloud

volontaire voluntary

volontiers gladly, willingly

volume *m* volume, book

vont: ils vont *pr ind 3rd pl of* **aller**

voter to vote

votre *adj* your; **le vôtre** *pron* yours

voudrais: je voudrais *condl 1st sg of* **vouloir; je voudrais bien** I should like very much

voulez: vous voulez *pr ind 2nd pl of* **vouloir**

vouloir to want, to wish; **vous voulez dire** you mean; **vous voulez parler** you mean; **comment voulez-vous...** how do you expect...

voûte *f* vault, arched ceiling

voyage *m* trip

voyageur *m* traveler

voyant *pr part of* **voir**

voyez: vous voyez *pr ind 2nd pl of* **voir**

voyons *imper of* **voir,** let's see; see here; come now

vrai(e) true; **à vrai dire** to tell the truth

vraiment truly, really

vue *f* view; opinion; vision, sight; **à perte de vue** as far as you can see

vulgaire ordinary

W

wigwam *m* wigwam

Y

y there; on it; to it

yeux *see* **œil**

Z

Zola French realistic novelist (1840-1902)

List of Illustrations

(Reference is made to the page on which the illustration appears.)

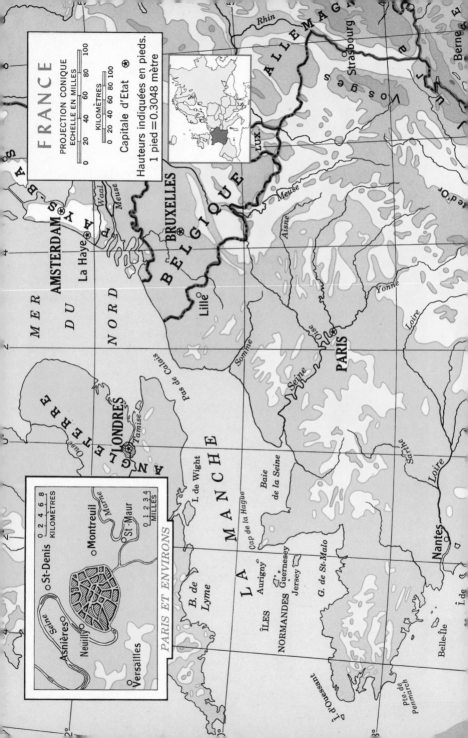